劉福春・李怡 主編

民國文學珍稀文獻集成

第四輯
新詩舊集影印叢編　第125冊

【長虹卷】

從荒島到莽原

上海：光華書局 1928 年 12 月 20 日出版

長虹 著

延安集

和平野營 1946 年 9 月出版

長虹 著

花木蘭文化事業有限公司

國家圖書館出版品預行編目資料

從荒島到莽原／延安集 長虹 著 -- 初版 -- 新北市：花木蘭文化事
業有限公司，2023〔民112〕
184 面／22 面；19×26 公分
（民國文學珍稀文獻集成・第四輯・新詩舊集影印叢編 第125冊）
ISBN 978-626-344-144-6（全套：精裝）
831.8   111021633

ISBN-978-626-344-144-6

民國文學珍稀文獻集成・第四輯・新詩舊集影印叢編（121-160 冊）
第 125 冊

從荒島到莽原
延安集

著　　者　長虹
主　　編　劉福春、李怡
企　　劃　四川大學中國詩歌研究院
　　　　　四川大學大文學學派
總 編 輯　杜潔祥
副總編輯　楊嘉樂
編輯主任　許郁翎
編　　輯　張雅淋、潘玟靜　美術編輯　陳逸婷
出　　版　花木蘭文化事業有限公司
發 行 人　高小娟
聯絡地址　235 新北市中和區中安街七二號十三樓
　　　　　電話：02-2923-1455／傳真：02-2923-1452
網　　址　http://www.huamulan.tw 信箱 service@huamulans.com
印　　刷　普羅文化出版廣告事業
初　　版　2023 年 3 月
定　　價　第四輯 121-160 冊（精裝）新台幣 100,000 元　　版權所有・請勿翻印

從荒島到莽原

長虹　著

光華書局（上海）一九二八年十二月二十日出版。
原書三十二開。

從荒島到莽原

長虹 作

光華書局

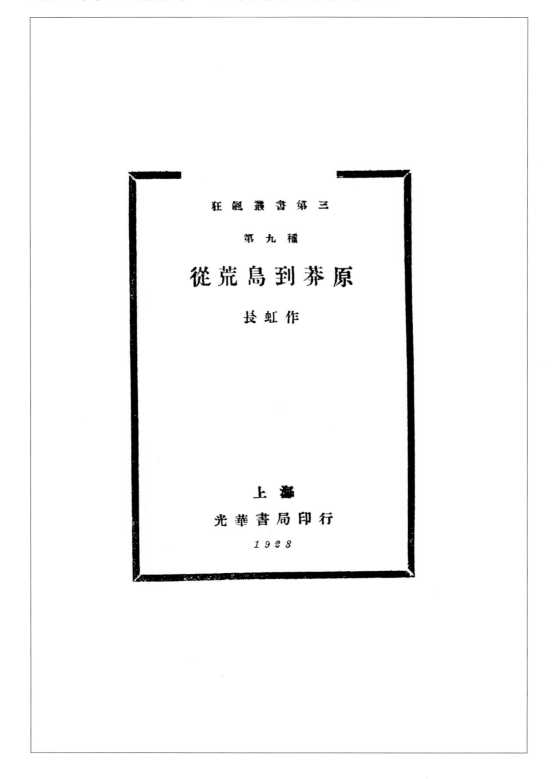

狂飈叢書第三

第九種

從荒島到莽原

長虹作

上海

光華書局印行

1928

著　者　　　　長　虹

1928，12．20．出版

實價五角五分另埠酌加郵費

版權所有不准翻印

獻 給 海 的 女 神

目　錄

(I)

（ 2 ）

（ 3 ）

〔 4 〕

無底的，

無底的——

我沈下去，

飛奔，

飛奔……

——閃光。

(1)

從荒島到莽原

幻想與做夢

一　從地獄到天堂

我惶惑地飛行着，在自由的天空中。

可怕的衝突在這裏發生了。所有日常在我周圍貌似親近的人們，這時都變成強硬的仇敵，鼓起蒼蠅一般討厭的勇氣，一齊向我發出猛烈的攻擊，在長久的孤獨的奮鬥之後，我終於失敗了。我只有逃走，向沒有人跡的地方逃走。

出乎我的意料之外，我翌起一雙赤條條的胳膊，便像一隻燕子似的，輕飄飄飛了起去，橫過了屋頂，牆壁，最高的樹木。我斜斜地，冉冉地，毫無計劃地向前飛去，濃密的，強韌的空氣在下面推湧着我，如海上的波濤推湧着牠胸脯上的小船。

銜着毒針的怒罵，放着冷箭的嘲笑；迸着暴亂的驚嚇，在我後面沸騰著。漸遠漸低——低到我所不能聽聞的地方。

我省却防禦獵人的槍彈的射擊，頑童的石子的拋擲等不需要的機警。我安心地，自由地游泳着，在黑色的夜的天海中。

明媚的，灼灼的眼睛，不可計數的星兒，在我上面閃耀着，指示給我前進的道路。

最後，目的地達到了——也許可以這樣說，其實，我是並沒有什麼目的地的。一片廣漠的荒野，沒有一隻鳥兒，而且沒有一苗小草，嶄巖壁立的懸崖，橫在我的面前。

我便在那懸崖的巔上停止了我的飛行，乘着疲倦的朦朧倒在一塊略爲平滑的巖石上睡了，甜美地睡着——一直到我醒來的時候。

二　兩種武器

一天，我正同我的一個朋友喝酒——當然，我那時是很煩惱的——我突然向我的朋友問道：

"我要用十年的努力，研究科學，發明一種無敵的大礮，十年之後，我的發明成功囘國的時候，你要給我什麼賀禮呢?"

"請你喝酒!"我的朋友略不思索地笑着回答。

我也用一笑表示了我對於我的朋友這個禮物的謝意,我終於又說了。

"那時,酒已經不是我所需要的了! 而且這是一個非常的成功,所以你也要準備一個非常的賀禮;這成功是用了十年不斷的努力,所以你的賀禮,也得用十年的準備。"

他說,他將來要給我放砲,及至他知道他的這個禮物還不能令我滿足的時候,他於是勇敢地,堅決地說:

"我給你預備十個砲手,一定有把握。"

"好極!"我喜歡得叫了起來。"但是,假如你要預備不好時,卽使你已經預備下九個,我也一定要叫你所預備下的砲手把你打死!"

"你如發明不出,我也要拿手槍打你!"我的朋友像報復似的,也對我提出相當的警告。

這正是給了我一個洩露秘密的機會,我再也不能沈默着了,我於是對我的朋友發出了這樣的宣言:

"好!我本來便決定十年之內要造兩種武器:理想的大砲和一支手槍,如大砲造不成時,我便要用手槍毀滅了我這個沒有能力的廢物。旣然我到那自我破滅的時候，你肯幫助我，你肯給我代勞，當我向死走最後的一步時，我能夠得到這樣的友誼的享樂，那時，我要多麼虔誠地把我自造的工具獻給你呵！"

三　親愛的

親愛的！當你看見我在花園中站着，正在出神地玩賞那新開的嬌艷的玫瑰的時候，你可曾發生過一些嫉妬的感情嗎？親愛的！我告訴你：花兒那時還正在嫉妬你呢！因爲她知道，我所以那樣愛她，是因爲她像你的緣故。

親愛的！你永遠不會忘記了那一次我們曾經居住過一刹那的那個理想的世界吧？那時，我正在一株丁香樹下站着，一隻手抓着樹枝，向着天心裏捧出的那一顆流光欲滴的月兒癡望。她是怎樣美麗呵！她的顏色，像蛋黃那樣的黃，又像萍草那樣的綠，却又像水銀那樣的白。她斜倚着她那亭亭的倩影，好像對於我在有什麼表示似的，她是在給我唱歌嗎？的確，我在那被柔媚的花香所氤氳的包圍中，的確，我聽見了一種不能用耳朵却能用靈魂聽到的嫋嫋的音樂在流動着了。那時，我忘記了一切：幸福要降臨我了！我預

(4)

覺那月兒中要有一個美麗的女子向着我的懷中奔下來了。於是，我還沒有趕得及辨清楚那是樹影搖動的時候，我已看見你伏在我的懷中。我們一句話都沒有說，但是，一切宇宙間所能夠有的甜蜜的話，都在我們倆的心兒裏來往地進流着。

親愛的！讓宇宙毀滅了吧，我們所需要的只有這不滅的愛情！讓地球上所有的空間都被强者去佔據了吧，我們的領土只有這超於空間的神祕世界。

親愛的！軍閥愛他的權力，資本家愛他的金錢，鹿愛他致命的角，孔雀愛她招賣自由的尾巴，但是，一無所有的我呵——我只愛你的美麗。

親愛的！讓我們作長塗的旅行吧！讓我們盡此生命之永久以旅行去吧！親愛的！你去旅行，在我的靈魂中；我，在你的靈魂中。

親愛的！當你從夢中發見了美和快樂的時候，你曾經怨恨過夢是太短了嗎？親愛的！你要那樣做時，你是被怎樣危險的思想所侵入了呵！人生為什麼只有醜和痛苦？那就是因為牠是太長了的緣故，假如夢要延長至人生那樣長時，她不是也像人生一樣，也要變成醜和痛苦的了嗎？親愛的！讓我們做夢去吧！讓我們在那無休止的醜和痛苦中，偷空兒找那一刹那

（ 5 ）

的美和快樂去吧！

親愛的！我們在這些屍首裏邊已經是復活了，從我的靈魂同你的靈魂第一次接觸的時候。我們將要永生了，在我們的兩個靈魂的堅固的擁抱裏。

親愛的！讓我們誦着戀愛的福音，去超渡被惡魔捉去了的人類！

四　我是很幸福的

我是很幸福的，因爲我已經在一個女子的心裏攪起一些波浪來了。

她的心的確是在很熬煎地懊惱着，她在想着關於我的過去的錯誤的認識。一個男子，能引起女子對於他的注意，是一生中不可多得的奇蹟，尤其在孤獨的傲慢的我。

當她念完我那首詩的時候，她一句話也沒有說，她的手磕在棹子上，支撐着她的頭，好像怕傾倒下來似的。我從她那發紅的雙頰，從她那盈盈欲語的眼睛，而知道她的心在想着什麼了。

她的感受性大得可驚。她每逢念到詩中精采的地方，她一定要用一個很短的停頓表示她所起的强烈的共鳴。

（ 6 ）

忽然，她跑回她自己的屋子裹去，始終沒有說一句話。

她曾經因相信而受了人的欺騙，她於是相信了那種欺騙了。現在她又覺悟，她的新的相信，又引着她受了另一方面的欺騙。

我愛她嗎？我沒有想到過這個問題。但是，籠統地說：我是愛她，因爲她是一個女子；我又不愛她，因爲她是人類中的一個。但這有什麼關係呢？我是很幸福的，因爲我已經有一次享有了她的靈魂了，雖然是很短促的。

五　美人和英雄

人生原來如此！我已經到了給人當差的地步。

主人是一個面目可惜的人，就是他的比我高的地位，都不能夠減少了我對於他的藐視，而他却有那樣漂亮的女子伴着他喝酒。人生原來——這使我的感情幾乎有些嫉妬了。

她的臉像海棠似的，紅白都恰到好處，皮膚如卵白一般的細膩，身材均齊；然而頭髮却很散亂，這怕是她的運命的象徵吧？被石頭壓在下面的花，當然是要萎謝的，我於此並無所懷疑。

我和另一個差人在一邊相離不遠地站着；在人類中，我敢於正眼相視，呼之爲同伴的，怕只有此人罷了！

但是我對於我的運命之悲悼，遠不如悲悼她的之多，當我每一次看見她給他斟酒的時候，我覺着她那嫩白的手永遠不能洗掉地被污辱了。

"美是爲給醜做犧牲而創造的，創造是爲着毀滅，"我正在這樣想着的時候，我的眼前忽然發現了一件不可思議的悲劇，她像倒塌了的椅子似的掉在地下，變成一條蜻蜓，掙扎着臨死的生命，很快地擺動了幾下，便不見了，只剩下一灘水的痕跡。

"謀害！謀害！"我像很有經驗似的叫了起來，我的同伴立刻上去按住了那個兇手，我也顧不得我手中的繩索是什麼時候預備下的，我的同伴的捕獲品早已被我綁起來了。

我們還沒有出去的時候，在我無意識的回盼之下，我看見繩索已經開了，被綁的人已經站了起來，及我們走出門外把門掛上的時候，那個脫險的俘虜忽然拿着一把刀從窗戶裏飛了出來，他的面目越發變得可憎。

我們連忙佈置好了戰線——我的同伴佔據了東

（ 8 ）

房的簷下，拿着一支長槍；我佔據了西房的，却什麼兵器都沒有找見。

立刻，他們兩人便動起手來，我這時總認識了我的同伴却是我小時同學中的一個英雄。"這眞是超於一切神話中所有的好看的戰爭呵……數年的離別，他倒越發英武了——"我一面這樣無頭緒地贊歎着時，我，空手的援軍，的作戰計劃却已經擬定了。

我極秘密地出了大門，從房後面攀上了房頂，我掀起一片瓦來要向我的敵人擲去。

"這不怕打在我同學的頭上嗎？"我忽然遲疑了一下，我的夢也像反抗傳統文學上的定律似的，就這樣無結束地結束了。

六　得到她的消息之後

我所最怕得到的消息，終於得到了。我爲了她的幸福，不願她如此，而她終於如此了。我最懊惱的，是我願意叫她知道這個，而我又不能夠告訴她知道。

當我第一次見她的時候，我便對我自己說，葉林娜被我發見了。然而我並沒有自己去做殷沙羅夫的野心。但我却非常希望有個殷沙羅夫被她發見。

她於是發見了，但不是殷沙羅夫，却是蘇賓。中

(9)

國的葉林娜還只有這樣的運命嗎?是的,中國人是被好運所擯棄的。

　　每到無可如何的時候的我,常有從夢中得到滿意的解決的把握,但現在,連夢都不能夠幫助我了。他所給與我的,並沒有超於無可如何者。

　　在幻渺的世界,她被做了妓女。她的同我隔壁住着的鄉親同朋友都在喧笑着,他們都抱歉不能給她捧場去。我幾乎哽咽了,與其說是由於對她的憐憫,倒不如說是由於對他們的憤慨較爲恰合。但我又覺着只有這樣的態度還能令我比較的滿意,因爲只有這樣,纔是他們眞的態度。

　　恍惚之間,她又像變成一個囚犯,她穿着戲臺上女犯們所穿的紅的衣服,自然經過很多的曲折纔如此的,我從屋出來時,我望見她立在我家的廚房的地下在喫飯了。我覺着我的責任是盡了,同時我却又感到一種戰慄。

　　夢也不能夠幫助我,我只得承認她是一個囚犯了。

七　母　雞　的　壯　史

　　人類的歷史,於我已經沒有再讀的興趣了。這些許是我近來想開始研究動物學的一個原因。但是，死板板的記載，只換一個題目，也不必便能夠別開生面。無已，則爲欺騙自己起見，只有求之於幻想耳。

我現在所讀的，便是雞的歷史。

據說，從前在山野中自由飛行着的雞們，被殘酷的人類征服之後永遠做了奴隸的故事，現在他們的子孫也還恍惚地記着。不過公雞因爲他們所受的比較的優待，他們有較好的食物，他們有很多的老婆可以供他們自由進御，所以過去的痛史，是不爲他們所注意的。但是那些受着苛待的母雞，在異族的暴主和同類中的貴族雙層壓迫之下的她們，目前的境遇却時常引起她們對於祖先的受辱的記憶，所以在雞的革命運動，時常是由他們中的女性所發起的。

從某日起，一個母雞會喊叫着鼓動過她們的同志，但結果被她們的所有者殺了。然而前仆後繼，至今不衰。

我很羨慕這些英勇的女將，因爲在被同樣運命所支配的我們人類之社會中，這是很難於發見的了。

八　我 的 死 的 幾 種 推 測

一　我一夜沒有睡覺·到黎明時，想到我明天應

（ 11 ）

做的事，便躺下去養一養神。不覺竟朦朧睡去。忽然跑進一個人來。叫了我的一聲名字，我被驚醒，還沒有看得清楚是誰，--顆彈子早穿進我的胸膛。我再沒有能夠起來，去認識那個來客究竟是我的敵人或者我的朋友。

二　我的愛人，或者我的兄弟，我的朋友，我最表同情的女子，或者一個了無關係的無依的人，被陷在敵軍手裏，受了一種極殘酷的待遇。我一得這個不幸的報告，立刻便要提兵去救，於是我的將領都諫阻我不應該爲了一個人而冒重險。我忿怒之下，單人獨馬跑了出去，敵軍的大隊重重疊疊地包圍了我。所有這些不認識者，都向我發出毫不原諒的射擊，我的最小的每一塊肉，每一點血，都接受了他們的贈品，我死在亂軍之中。

三　我的愛人死了，我失了生的所爲。一切可以創造出什麼東西的精力和時間，都消耗給愛人的追想。一晚，我坐在臨湖的一顆樹上，淒迷的月色籠罩着碧綠的湖面，我一生中最美的歷史，都在這一刹那間喚了回來。死的渴望鼓動着我，挾着極豐富的羅曼的趣味，跳了下去，水上的泡沫，骨都都地，在我身體所接觸過的地方湧了起來，報告我的死的消息。

（ 12 ）

四　我已經是六十多歲的人了，我同我老伴在最辭靜的地方種着一所園子。園中，最美麗的花，最好喫的果子，以及白薯，南瓜之類，應有盡有。我們用了服務社會所剩餘的精力，來建設這所花園。休息的時候，我們便手挽着手走到那座用長春藤搭着的涼亭底下並肩坐着。一天，我們正談着靑年時代有趣的故事，死神忽然降臨我們，我們倒在相互的擁抱裏。

五　也許有這樣一個時期，我失意地買了一罎酒，在一座古廟中，唱着悲憤的歌子，開懷暢飲，我喝了超於我的量十倍之酒。我醉倒以後永遠沒有起來。

六　正在危急存亡的時候，有一個關係如是之大的魔王，存之則事敗，殺之則事成。我手中握了一顆炸彈，走上了他的門。他同我握手的時候，我另一隻手把我的暗器在我們中間的地下一擲，我和我的敵人同歸於盡。

七　一個狡獪的男子，用了一切卑鄙的手段，去誘惑一個女子。這女子雖不爲我所認識，然而卻是我平素所贊頌爲理想的美人的。事情就要完結了，除了把那個誘惑者殺死之外，對於這件人類歷史上最可惋惜的事，再沒有挽回的方法時，我便用了應付上邊那個魔王的策略，施之於另一方面的這個魔王。

（13）

八　我恨一切人類，我以為人類除殺掉之外，再不能夠有別的好的安置。人生是沒有快樂的。只有殺掉一切人類可以免去痛苦。我於是便把這滅絕痛苦的殺人主義的實行勉強當作我個人的惟一的快樂。我用了求生之藥所用的勇氣以送一切人類於乾淨之死。我殺了十五萬九千九百九十九萬九千九百九十八個人，最後，我抱着失敗的遺恨，死在那個最後該死的人類的手裏。

九　一切女子都不愛我。我覺悟了我的孤獨之生的結局只有孤獨之死。我於是選定了地球上一個最美的美人，我闖進她的屋裏。那時，她正赤條條地躺在牀上。我嘴裏銜上我一生研究化學所發明的一種最毒的毒質，伏在她的身上，同她接那第一個同時也是末一個的吻，在這一吻之下，我們兩人的靈魂便永存於愛的宇宙之中。

十　這自然是決不會有的事情，然而也不妨姑存此說，以備例外，我同一般人一樣，死在平庸的病榻之上。

九　生命在什麼地方

我是很愛生命的，然而我始終沒有得到過生命。

我時常用指頭在看不見的空氣中畫着十字，向着天空反覆地祈禱：你能夠告訴我生命所在的地方嗎？我願意變做一片落葉，永遠在你的懷中跳舞。我所得到的回答，只有沈默，沒有過一次例外。

我曾在家庭找過生命。一天，我的父親對我說了："你爲什麼不找一點事情做做？你看，我們家裏有這樣多的人要喫。"我沒有料到我的誠實的回答竟會觸怒了他。因爲我說，在我沒有找到生命之前，我是什麼事情都不能夠做的。我的父親說了："那麼，你找你那永遠找不到的東西去好了，我的糧食是不能夠給游手好閒的人喫的"。我知道，我是被人趕出來了。

我出來便遇見了朋友。當他們和我很客氣地握手的時候，我聽見他們的肚子裏在冷笑了。我想找到什麼呢，在這些同我一樣一無所有的化子中間？我這樣問着時，我看見我已經棄絕了他們走了。

女人，人類，都給我以同樣的拒絕。

於是，我便一個人坐在山頂，低着頭沈想起來。忽然一種極細的聲音，幾乎使我不能夠聽見，從我身旁顫抖抖地送了過來。我驚得站起身來，我在感覺中努力地摸索着，到我知道他是從什麼地方發出來時，我蹲下去扳起那塊很小的石頭，一隻快死的小蟲，壓

(15)

在底下，他的身上寫着"生命。"

十　婦女的三部曲

　　X女士同一個大學生在公園裏坐着喝茶。她臉子是很漂亮的，眼睛像一池清水，正是二十五歲年紀。雜在游人中間，如朝霞中放出的一顆明星，她現在是很快活的，因爲她從女師範畢業出時，便立意要找個同她一樣漂亮的丈夫。現在她已經得到了。時常在她心頭縈繞的終身問題，已經不復存在，她的全部靈魂，已經獻給了那向她招手的愛神。她的生命是那樣地充實：她覺得再沒有極小的一點隙縫，以容納別的東西的侵入了。她進了公園時，她並不用思索，好像她已被推定是園中的女王似的，她看見那些差人，都是專爲着給她服役的。她又狠可憐那些垂涎的眼光望着她的游客，正像在酒館中大喫大喝的饕餮者看見門上來了個叫化子時所起的感情一樣。

　　一間華麗的寢室裏，從電燈的倦怠的光中，照見一個正在用手支頭憑窗沈想的中年婦人。她的失望的眼睛告訴我她在想着什麼。她現在被人叫做周三夫人，她到了這個家裏，今天是第五天了。她覺着幸

（16）

幸福已經佔有她了，在這幾天短促的新的遇合中，她得到了一種比新婚更甜美的快樂。當她被壓在那個肥胖的肉體底下的時候，她覺得自己是多麼可以驕傲的呵！一個男子，有那麼高的地位，却用全副的精力，全副的情慾，都供給了她！她好像買到了一個十分馴服的奴隸，却沒有用一個銅子；她好幾次睜起眼來望着地下的躺椅，似乎有一種奇異的情緒，違反了自己的意思，要有所動作的樣子，於是一個漂亮的青年，便出現在她幻象的眼前。她嘆了一口氣，自己想道："我是很快活的，我現在已經不再爲那一個無法解決的問題所纏磨了。"

一個沒有名字的五十歲上下的婦人，躺在荒墳中的一個空墓裏邊。她的漂流的一生已經結束，她已經得到了她的最後的安身之地。一羣烏鴉像追逐她的男子們似的團團圍定了她，他們用最注意的吻吻着她的血肉糢糊的屍骸，正如她生前被愛過的人們所做的。他們跳着躍着在頌祝她的可供他咮的美；他們已都爲她的魔力所征服了。她很快活地在那座奇異的香案上躺着，她再沒有被那纏了她一生的終身問題來襲的危險。

(17)

十一　一個沒要緊的問題

問題是很簡單的，這只要我能夠答覆「你願意喫肉呢，還是願意喫糠呢?」的時候，一切都解決了。

於是房門開了，走進一個鄉村的少婦來。我照着習慣，叫她給我取過一件什麼東西，我就勢便把她抱在懷裏。我經過了在她那爲麵粉所點染的頰上親了個嘴的第一次手續之後，我便繼續着問她了。今天晌午喫什麼飯?囘答是糊糊，我又問道：“我想喫河落，你說喫河落好呢，還是喫糊糊好?”她笑了，答道：“你就喫河落好了。我知道，她已經宣布了她的死刑。

假如這樣思想能夠長久佔據着我的時候，我便會變成個幸福的人。

十二　我和鬼的問答

黑暗中現出兩隻紅的眼睛，像蛇的嘴一般的紅，向我猛視着，好像要把我吞下去的樣子，此外，我便什麼都看不見了。根據習慣的意義，我把他叫做了鬼。的確是的：他同我說話了。

‘你願意做一個什麼人呢?’鬼突然地問。

‘乞丐。’我不以爲我有答覆他的義務，然而我却

（ 18 ）

應聲地答了。我並且給他說明我有這樣抱負的緣故
道：「因為乞丐是最節儉的掠奪者，在一切無饜的人
類中。」

「你願意愛一個什麼樣的女子呢？」鬼又繼續問
了。

「我的愛情要贈與那些永遠不能夠得到愛情的
女子中的一個。你可知道，這一定要到那些為男子們
所熟視無情的妓女中去找尋了。」我這樣答着，為的
是變一換下語法。

「你願意同誰做朋友呢？」愚蠢的鬼第三次問。

「閣下——」我的話還沒有說完，我的貴客忽然
失蹤了。我從那一發卽逝的哭聲中，知道他已經逃走
到很遠的地方。

十三　一封長信

我現在臉上浮出的微笑，是一封信賜給我的。

這是一封一萬多字的長信。我現在讀着她，就像
我讀着一個外國人或異代的作物似的，我很驚異牠
的作者的可怕的熱情，雖然牠實在是我自己三個月
前的手筆。

我竭力想喚回我那時的情調，但是，只有枉然罷

(19)

了，我不能夠發見前數月的我，正如在現在的冬天不能發見過去的夏日的溫暖一樣。時光一天天地過去，我也一天天地失掉，我所自豪為我自己所獨有的我，其實，只不過是在時間的浪裏一霎卽逝的浪花罷了。而我偏又要想於我自身之外得到些別的什麼，人類是多麼愚妄的東西呵！

然而愚妄便愚妄好了！我便不這樣做，也終於不能夠變成一個超於人類的什麼。

然而，在我的數分鐘的努力之後，我又終於感到枉然了。所所看到的只有窗外的黃的空氣，風斷腸地吼着，被排擠而不得出去的煤煙幾乎把我的呼吸都閉塞了。

十四　安　慰

阿寶同一個小兒在田地裏埋蟇塚玩耍，他們因為對於蟇塚的形狀主張的不同，忽然吵了起來，結果，他被他的夥伴抓起蟇塚上的土來給他撒了一身。

阿寶受了這樣的侮辱，氣得幾乎要哭了，他很想一下撲過去，把那個兇暴的魔鬼摔在地下。但是，他是很軟弱的，他沒有法子，祗得嘴裏咕噥着罵了幾句，向家裏走了囘來。

路上的石頭，偶爾碰在他脚上的時候，他便惡狠狠地踢在一旁。他所看見的一切，他來時曾那樣欣賞過的，現在都變了面孔，好像都在欺負他似的。

他想：我囘去時要叫媽媽給我說一個有趣的故事。

他走到家裏時，見他媽媽正坐在炕沿上流淚，針線在一邊擱着。

他不知道是誰欺負了她，但他想起他在路上的企圖時，他便什麼也不管了，他把頭向他媽媽的腿上一碰，哼哼着表示他的要求。

媽媽把他泡了起來，看見他身上的土好像要罵他似的，却什麼也沒有說，給他撣了。

她用她那灼熱的頰同他摩撫着說道：

"阿寶！我給你說過那麼些故事，你都忘了嗎？你給我揀一個最有趣的說給我聽。"

阿寶的小黑眼睛注視着他媽媽。他沒有說出一句話來。

十五　迷　離

仍然是晚上，我走進一個在尋常雖是晚上都不能到的地方。

（21）

　　這是間長方形的屋子，亮的電燈，白的牆……都和尋常的屋子一樣，我却覺着我所到的決不是尋常的地方，幾乎像天國似的。我偷偷他走了進去，沒有被一個人覺察，裏邊也沒有一個人。一切都是寂靜，在我的左邊，放着一架長桌案，前後很整齊地對比着排列着幾把椅子，案上陳列着書，墨水，筆……之類，從這些裏邊，很隱微地透出一種女子的裝飾品的香味，右邊，是一個書架，裏邊放滿了書，上邊堆着許多報紙，我在這寂靜的情境中，我的心也同樣地寂靜，我等着一種好像有十分把握的希望的實現。

　　一切總不到來，而我却並沒有失望或類乎失望的感覺的侵襲，這像是一切都是屬於我的，都是由我的意志而安排的。我只覺着，在這當中，我可以做一點什麼事情或類乎事情的什麼，這個念頭便無意之間把我引到書架的前面。

　　多麼驚奇呵！我所喜歡讀的書和我所想讀而未讀的書都在這裏了，英文的，法文的…我直到現在，還沒有辨認出我那時所感到的究竟是喜悅，或是慚愧，或是…

　　如我所預期的，房門開了，走進一個短小的女子來。這正是我所等候的女子。我並沒有見過她，而我

（ 22 ）

却知道這是她，而且正是久已熟識的。這並不是我，想象的或者說熟識的那個女子，她是美麗的。精幹的，英武的，而這，却醜陋，矮小。而這些，我却好像並沒有注意。我只覺着這正是她，久已熟識的。我也有沒一點厭惡她的表情，這顯然是我同她已經有過濃厚的感情了的。

這些都是極短的刹那的經過。她已經走到我的面前，她握住我的手，她的臉湊近了我的臉。芳香，細膩，肉的跳躍，神經的顫動？ 是我的淪滅⋯一切都是我的理想所滿足的。我們沒有說一句話，便手挽着手走進裏間黑暗的屋裏。

這些都是極短的刹那的經過。我聽見外面嘹亮的女子的念書的聲音在交響着了。玻璃裏邊映着她們各個的美的倩影，隱約間好像時而還聽到一種低的竊笑⋯一切都是我的理想所滿足的。

忽然，屋外所起的腳步的響聲，把我們合抱的靈魂驚了開來。好像燈籠的昏黃的光在門外搖幔着。我的心像是跳了，呼吸也急促了一些，好像要失掉什麼，而又要被什麼奪去了似的。而同時我又覺着十分的鎮靜，正像一切都在我意中，都是我所安排就的。

於是。我便偷偷地藏在另一個書架下面。我覺着

(23)

她也沒事似的走了出去，坐了她的座位，我覺着一個人走進外面的屋子，顧視着，檢查着。我覺着我竭力强忍着我的極細的呼吸，同時，我又好像歌唱着似的。的確，我能夠聽見我自己的歌聲，我在唱着我的最得意的曲子！

恍惚間，我又站在外面的屋裏，一個人也沒有，同我進來時一樣。大概，這是我已經出來了。她那裏去了？她們都那裏去了？我當時並沒有發生過這些疑問，我只覺着我十分的滿足，十分的鎮靜，正像一切都在我意中，一切都是我所安排就的。

我於是走了出來，過了花牆，向着大門走去，我得到意外的驚喜，這次，他們是被我跨過去了。正在這時，却又發生了另一種意外，一個像負有特別權利的人，追上了我，趕在我的前面。

“有條子嗎？”他驕傲地問。

“有！”我不慌不忙地答着，我做出往外掏的樣子。

我看見他很失望，他一定以爲他的這次捕獲是失敗了，他已經放棄了他的防禦，沒趣地等候着我將要給他的無用的東西。

“好！”我的心裏高興地叫了一聲，我沒有給他注意的機會，拔起步來便向通着曠地的院的旁面拚命地跑去。惶急中，我聽見後面追趕的驚呼，快跑。我跑出了曠地，跳過了土牆，踢着園畦，趕着我前面好像也在跑着的兩三個遠的人影，時而掉回頭來望着我後面的漸走漸遠的追者。

十六　噩夢

我夢見我闖進了未來的黃金時代。在那裏，少年的英雄，都在演着他們得意的戲劇。爭鬥，嫉妒，狡猾……一切都如我曾經居住過的。

我夢見美的女子向我走來，獰猛地微笑着，獻我以蛇的禮物。我用自殺的勇氣，自欺的安詳，迎受她的吸吮的亂吻。

我夢見紅的花浮現在空中，綠的鳥團團地飛舞着，吸飲着香，歌頌着美。我夢見我生了翅膀，飛在空中，想加入天使們的隊中，想把捉住我所看見的。忽然，一切都沒有了，我的翅膀也沒有了，我墮入磣黑的溝渠。

我夢見我立在山巔，洪水在我所能望見的周圍泛濫着，狂奔着。山下，微蟲們吵鬧着，昏睡着，我盡力地狂叫，只有沈默的空氣的回響。於是，侵略的洪

（ 25 ）

水，衝漲到山下，淹沒了微蟲，淹沒了山巔，淹沒了我。

我夢見超人出現了，人類都做了奴隸，做了食物，做了玩具。但我好像在什麼時候聽見過，這不是真的超人，這是鬼們化裝的。

我夢見我遨游着火星上的世界。我周旋他們的人類，翻讀他們的歷史，研究他們的自然。由毀滅而創造，而爭鬥，一切都如地球上所扮演過的。

我在夢中，比醒時，看見了更真實的世界。

在我的夢中，一切都是惡，都是醜，都是嘘偽。

（ 26 ）

ESPERANTO 福音的

一

一切顏色裏邊，只有綠是最好的顏色，因為人生裏邊只有最好的和平的顏色纔是綠的。

二

朋友！請不要把你們的老友當做了生客吧！從小兒的咿呀中，從朋友的握手中，從愛人的接吻中，你們久已認識我了。此後，你們只要願意同我相見，讓你們相信這個吧「你們將要看見我，在一切你們能夠看的地方。

三

（ 27 ）

獅子覺悟了他的孤獨，是由於利爪的緣故，他已經啜泣着懷悔他沒有生做綿羊了。空手的人呵！你們的幸福要開始了，因為在我的大廈裏，只有空手的人纔能夠來居住。

四

你們將要誇耀你們捉來的俘虜和獻上的戰利品嗎？朋友！我希望你不要哭！因為凡到我的國裏的人，我所檢驗的是：你們相跟來的有多少朋友，你們有沒有一個最和諧的愛人。

五

你們向我這裏來的旅客呵！行裝在你們是無用的了，你們只要赤裸裸地來便好，我這裏預備着愛的華衣給你們服用。但是你們要記着，你們必須拿一枝鮮花，你們的臉頰上必須現出微笑的酒窩，我會從鮮花中，看見你們的純潔的靈魂，坦白的酒窩也會告訴我你們沒有危險物的攜入。

六

朋友！你以為我這裏是很遠的嗎？你的錯誤比你

所想像的還要遠呢！看呵，當你坐在你的愛人的膝上
的時候，你便會看見我城上豎着的綠旗在香風中蕩
漾着了，當你同你的愛人擁抱着的時候，我的國門已
在向你開着，更進一步呵！我的國便建築在愛人們的
接吻上。

七

滴水因為要保持他的自私的生命而枯竭了，你
們沒有看見過大海嗎？大海中的水是沒有界限的，是
整塊的水，他們雖各各來自不同的處所，但是，由河
而江，而至大海時，他們漸次會合，而終於成為一家
了。在我的國裏，生命便是這大海。

八

家庭命令你說，比你大的叫做兄，比你小的叫做
弟，你們要互相親愛。而你們，却因為分產而打架了。
國家命令你說：在你的國裏的都是同胞，你們要互相
親愛。你們仍因為很小的緣故，鬧了起來。有效力的
命令，只有從自己發出來的命令，你不是時常在命令
自己要愛你自己嗎？而且你不是因為愛於你有利而
始採用了愛，而始惟一獻給你自己嗎？而你們終於是

打起架來，而你的自愛終於是沒有得到什麼，那麼你爲了自利起見，何不再向自己發一道命令，去愛人類呢？

九

黃河的水，紅海的水，爲什麼不在大洋中打起戰來而反變成同樣的顏色呢？我看見美洲和非洲的戰事時，便發這樣的疑問

十

國界！你們慣會無中生有的人類呵，你們的狡獪所顯現的夠多麼恐怖呢！你們不看見強力到了什麼地方，國界便到了什麼地方了嗎？但是，搬運沒有的東西，是強力所擅長的狡計，至於有使沒有的東西而還其沒有者，只有有更大的強力的愛，只有從你們的心裏所發出的綠軍！

(30)

人 類 的 脊 背

人物——人類的幾個代表

地點——地球之一角

時間——現代

第 一 景

一個僻靜的村落口上，有一個豬圈，一個穿着
襤褸衣服的中年婦人站在裏邊餵豬。村外跑
來一個不認識的男子，臉上帶着幾點血跡。他
望見豬圈裏的婦人，便很快地跑了過去。

不認識的男子　借光；到五里窩是從這裏去嗎？

婦人（很詫異地看着他）你是從那裏來的？

不認識的男子　我要囘家去，我母親病了。我今
天晚上一定得囘去才行……

婦人（有些感動）　這那裏成呢？還有一百二三十里路，況且又是山路！

不認識的男子　最壞的是我找不見路，這真是沒有法子

婦人　可巧我們許大哥不在了，不然，叫他送你去倒好。

不認識的男子（想了想）　哦——我五六年前有一個朋友——他是叫許什麼——？——這村裏有姓許的嗎？

婦人　你不是說許老大嗎！

不認識的男子　哦，對了！老——老——許老大！我的記心夠多麼壞，前幾年每天叫的名子！他不在家嗎？

婦人　他走了好幾天沒有囘來，

不認識的男子（向後面望了一望，好像怕有人追來的樣子）那麼——我就走了。趕急囘家才好。再見！

婦人很奇怪地望着他走後，又低下頭去做她的工作。沒有五分鐘光景，那個男子又折了囘來。沒有趕得及婦人覺到之前，他早已跪在豬囤邊上。

（ 32 ）

不認識的男子　夫人！

婦人　（驚得喊了一聲）你到底是誰呵？

不認識的男子（手裏捧着幾塊大洋）你的丈夫！

　　婦人在片刻驚疑之後，慢慢地過去抱住那個
　　不認識的男子。他們的嘴慢慢地碰在一處…

第 二 景

　　總司令在火車上坐着，低頭草着一封通電。他
　　面色鐵青，態度非常鎮靜。前面相離不遠，聽
　　見一夥兵士喧鬧。一個衛兵走上了火車，像看
　　見鬼似的瑟縮地站在一旁。

　　總司令　（看見衛兵進來，一面問着，仍然寫他的
電稿）有什麼消息沒有？

　　衛兵　大人！前面有好多逃兵嚷着要見總司令。
他們說，他們家裏的人都餓死了。這非要賠償不行。

　　總司令（仍然不輟地寫着通電，一面隨口答着）
你出去告訴他們，說我家裏的人也都餓死了，叫他們
趕急去！

　　衛兵去後，接着又起了一陣喧鬧，另一個衛兵
　　又走上了火車，他同前一個一模一樣地站在
　　一旁。

（ 33 ）

總司令　什麼事？

衞兵　好多屍首在前面嚷着，他們要叫總司令賠償他們的頭。

總司令　叫他們去！我的頭還不知道要落在什麼地方呢！

　　這個衞兵去後，接着又是一陣喧鬧，一個沒頭的屍首走上了火車。

總司令（讀着他寫完的電稿，以爲又是衞兵來了）有什麼好消息嗎？

屍首　給我的頭，大人！

　　總司令沒有趕得及抬起頭來，他的頭已落在屍首的手中。屍首把頭嵌在他的肩上，高興地跳着跑下了火車。

兵士們（已經擁了過來，一齊歡呼）大人！大人！………

屍首　兄弟們，我們到前敵去！勝利！……

兵士中間的一個聲音　五萬元賞格！

　　屍首被一個假裝的兵士推倒，頭落在一邊，他拾起頭來就跑。其餘的人都趕了他去。

連續不斷的喊聲　這！……五萬元！……

　　第三個衞兵又走上了火車，他坐在總司令坐

（ 34 ）

過的地方，拾起那封已經寫好的電稿，微笑着，學着一種軍官的樣子，讀了下去……

第 三 景

酒館中。早上。進門，傍邊，坐着管帳先生，很疲倦地看着一份小報。假裝的兵士現在穿着大氅，歪戴着皮帽走進來，他像一夜沒有睡覺似的，不答理管帳的招呼，很蹣跚地倒在最先迎接他的一個座上。

假裝的兵士（擊着桌子）火計！火計！

小火計（懶洋洋地走了過來）喫些什麼？

假裝的兵士（擊着桌子）先來四兩白乾，快來！

小火計（很藐視的樣子）要什麼菜不要？

假裝的兵士（擊着桌子）隨便來幾樣好了，問什麼？

小火計無抵抗地走到後面。假裝的兵士胳膊支着頭靠在桌上，用指頭擊着桌子。管帳先生看報看得很高興，低聲念了出來。在這兩種奇怪的音樂合奏之間，小火計端上菜和酒來，下去。假裝的兵士一句話也沒有說，擱起酒來，便一口一蹲地喝。

（ 35 ）

假裝為兵士（片刻之後）再來四兩！

管帳的先生（念得很有味，隨口說着）這個混帳東西也敗了！……還有一場好打呢！……

假裝的兵士（釘住看了他一眼，繼續喝完了，又聲起桌子）再來四兩！

門開處，不認識的男子和許大嫂穿得很闊的相跟着走了進來。男子一眼看見那兵士，面上便堆下笑來。許大嫂現出很懷疑却又勉強鎮靜的態度，檢了一個相離很遠的座子坐了。兵士出神地看着他們。

不認識的男子（走到兵士面前）咳！老張，你也在這裏呢！眞早！

兵士（勉強答應着，却想另一件事情）昨天晚上眞倒霉！

不認識的男子　有什麼要緊！還有今天晚上呢！你不到那邊喝一罇去嗎？

他說着，走過許大嫂那邊去，他們很快活地也喝起酒來。

假裝的兵士（不住偷眼望着他們，聲着桌子）再來四兩！

管帳的先生（看到了社會新聞，隨口說着）拐

（ 36 ）

逃……還是我沒有老婆的倒放心，他媽的！……

假裝的兵士（片刻之後）再——來——四——
兩！（假裝的兵士倒在地下。一個人都沒有覺
到。管帳的仍然看他的報。男子同許大嫂還是
很快活地喝酒，有必要時，便也親一個嘴。）

第 四 景

屋裏放着一張大牀，牀的中間擺着一副烟具。
假裝的兵士睡在右邊抽烟。不認識的男子在
對面用肘支着床斜躺着，銜着一支烟捲。

不認識的男子（取下煙捲，用指頭磕着烟灰，打
了一個呵欠）唉，今天又不能走了！

假裝的兵士（吸完一口烟，也打了一個呵欠）走
那裏去？你的家早讓耗子給喫光了！

不認識的男子（呵呵笑了一聲）別胡說了！你還
嫌輸得不痛快嗎？前天，昨天，今天，三天輸了二百
五！

假裝的兵士（面上現出懊悔和惋惜的痕跡，但為
要表示自己的慷慨，却裝出一副略不經意的笑容。）
算什麼！今天晚上你瞧！

不認識的男子，你嚇唬誰？老實，你有多少錢乾

（ 37 ）

脆一齊全送給胡老板好了。

假裝的兵士（獰笑）嘿！胡老板的臉像子蘿蔔似的，真好看！哈！哈！哈！

不認識的男子（亦隨着一笑）我是很愛胡老板，牌玩得多好！我要有那麼個老婆的話，我早就斗起來了！

假裝的兵士（忽有所憬，把烟捲擲在地下）真個，你們那一口子那裏去了，好兩天沒有見？

不認識的男子（把烟袋遞給假裝的兵士，坐了起來）一塊爛羊肉，管她呢！

假裝的兵士（繼續了那個男子的工作）別裝了！那天在酒館中遇見你們，瞧那種尊貴的樣子，連話還不敢和人說呢！

不認識的男子（笑着走下地來穿上大氅）真倒霉！我不知道怎麼會遇了她！

假裝的兵士（抽了一口烟，停住，露出偵探的神色）怎麼？你在什麼地方遇見她呢？

不認識的男子（很慌張）還說呢！那是叫什麼村來着？我遇見她，她見我錢很多，就跟我跑了。聽說她的男人，叫什麼許老大。那時，我看見她很好看，不知怎麼回事，忽然轉了像了。

（38）

假裝的兵士（裝着恐嚇的樣子）拐逃！

不認識的男子（搖着手，笑着）晚上見！（說着，走了出去）

假裝的兵士（跳了起來）果眞是她！

他像瘋了似的，在屋中暴跳着，發兒的眼睛報告他在做着什麼計劃。

第 五 景

旅館中。晚上，許大嫂很焦躁地在屋裏坐着抽烟，一個小火計走了進來。

小火計　你怎麼一天沒有出去。

許大嫂（不答他的問話）先生還沒有回來嗎？

小火計　先生不回來了。他走時，說今天晚上要上王先生家裏去。

許大嫂（像掉在井裏的一粒石子）他說他今天晚上要死不更好嗎？

小火計（暗暗得意）十二點都過去了。

門外忽然嚷了一聲‘老劉在家嗎。’沒有得到回答，假裝的兵士早勇敢地闖進屋裏。許大嫂嚇得站起身來，小火計莫明其妙地溜了出去。

假裝的兵士（質問的口氣）你認識我嗎？

（39）

　　許大嫂（畏縮）你是誰呀？

　　假裝的兵士（二次問）你還認得許老大嗎？

　　許大嫂（想逃走）你是誰呀？

　　假裝的兵士（掏出一把鈔票，遞給許大嫂）我現在闊了，不是那個倒霉的許老大了！

　　許大嫂（很狐疑地握住鈔票）你真的是許老大嗎？

　　假裝的兵士（堅決地）一點假都沒有，就像這鈔票似的，沒有一張假的！

　　許大嫂　你——

　　　　假裝的兵士突然過去扼住許大嫂的喉嚨，按在地下。這樣經過約莫五分鐘的光景，知道一切都完了，他趕急起來，跑了出去，許大嫂很靜默地躺在地下。

第　六　景

　　　　路旁有幾個荒塚，不認識的男子很慌張地走了過來。塚中跳出假裝的兵士，一隻手拿着刀子，不認識的男子嚇得倒在塚上⋯於是一切便都完了。

　　假裝的兵士　回家？（忽然醒悟）我也——

　　　　他沒有說完這句話，刀已經貫進自己的咽喉，倒在他的敵人的身上。

精神 與 愛 的 憧憬

一　精神的宣言

我疲倦了。我不能復忍此過度之奔馳。

我是一隻駱駝；我的快樂只有負重。我的希望，只有更大之重負。

我不願走坦道，因爲這樣的一日將要來了：在這坦道上，將要爲屍首所充塞了。

在我則，最安全的路只有崎嶇的山路。我將披堅執銳，而登彼最高之山巓。

朋友！你們將要笑我狂嗎？庸人於其所不知，則謂之狂；你們眞是庸人呵！我最大的希求，便是遠離你們而達於狂人之勝境。無偉大之靈魂者，必爲狂人之國所擯棄。我將使你們於被擯棄之羞辱中而得卑

(41)

下的自欺的自慰。

然而我的重負說了。

"你燥急的怪物呵！你將負我等至於何地？你走得何其迅速，你將墜我等於山麓嗎？"

"你驕傲的畜生呵！我們將爲你所破碎，你的背乃如是之隆腫，你何逆吾等之意而生此畸形？"

我隱忍而不言，我知道，我的責任，只在負重。

然而我疲倦了。我眼花而神昏，我已無復精力，我已不能担負我的工作。

而我的重負笑了。這是何等殘酷的聲音！我的將死的喘息，乃只供彼等取樂之資嗎？

我將不復行，我將留置彼等於懸崖之上，而求自我之滿足。

我將變而爲少年，而臥彼美女之懷。

世間所有的東西，沒有比我的慾望更大的了。我愛一切，我要把我自己發展至無限，我要把我做成功一個宇宙。

然而，在現在，我已成爲一個自好之君子，我已捨棄我之一切慾望，而只願作一被愛之少年。

世間有可以被我愛的女子嗎？誰將以被寵之手

（42）

來接受我的禮物？

我懷疑着，我搜尋着。

誰願意佔有我呢？嫵媚的女將呵！誰願意攜我去做俘虜呢？我冒險地嚷着。

彼處有美女向余招手。

彼來世已久，彼曾以享樂爲唯一之目的。

然彼之享樂，彼已覺悟，彼知所得到者，皆非眞樂，彼之尋求，只得空虛。於是而彼所得到者，惟有悲哀。

彼亦嘗一覷理想之彩光而起驚異之心。然彼爲境遇所驅，理想已一瞥而逝矣。

然理想在彼魂中，已根深而蒂固矣。如一有所觸，則彼必將彼之寶物獻上理想之寶座。彼已知彼之寶物，必於理想中乃能有所贈與，乃能得愼重而收受之，而以全生享有之者。

彼已識我，彼已於夢中與我成莫逆矣。彼已將彼之寶物獻給我矣。

彼何物耶？彼乃宇宙間最精美之一物，彼乃創造者最得意之作品，我如是確信。

（43）

汝等乃敢譏笑我嗎？然我知，有譏笑之權利者惟我而已。汝等且將受我之譏笑，我將譏笑汝等之無所見也。

汝等亦知有愛，然汝等所愛者，皆我之所憎。汝等亦非無眼，然我之所見者，在汝等則為無物。然真物則在汝等所視為無物之中。

我將犧牲一切，而投赴彼美女之脚下。能享受我者，惟彼一人。亦惟我乃能滿足彼享樂之要求。

然彼之聲音，抑何其悽楚？彼其病彼享樂之失敗耶？然彼將得勝矣。

我之一切，已不足梗我之心。我聞彼哭而我乃涕淚滂沱。我將以彼之苦為我之苦。

彼之心已跳動矣，因無安息之所故也。彼之心已哀鳴，彼已招我而與彼共鳴。我孤鳴已久，我不與彼共鳴而誰共耶？

吾今厭惡一切，因吾已疲倦矣。吾將擯棄所有而求吾自我之恢復。

吾將再來。吾再來時，將有更充實之生命，吾將有更大之力以負吾之重。然吾此時則疲倦矣。我將退

（44）

而從事於自我之享樂。

　　汝等猶欲覊絆我耶？然不久，汝等則知我乃不可覊絆者。

　　我已無說話之餘裕，我之自身及我外之一切已不與我以述說之安詳，我將歸於沈默，我將以沈默而執行我之實行。生命最高之表現，惟實行耳。

　　我將逃…………

二　美的頌歌

1

名城多美女，
彼美生於茲，
在茲名城中，
彼爲最美者。

2

玫瑰何鮮艷？
睡蓮何皎潔？
以視彼美臉，
眾卉無顏色。

（ 45 ）

3

不得彼美盼，
長江昏且濁；
不得彼美笑，
晴天暗如墨。

4

彼美脣何紅？
疑是日之精。
由此發詔音，
濁世永光明。

5

彼美耳何聰？
天耳非荒僻。
大宇與悠宙，
彼聞如咫尺。

6

彼有純陽指，
點人如點金，
彼指一微動，
凡愚皆聖明。

7

(46)

宛如雲雀歌，
繚繞於天空，
當彼沈吟時，
我聞如是音。

8

知彼美之心，
精神之精神，
使我無彼者，
抱恨而終窮。

9

我視世間人，
無足當一瞥，
今我見彼美，
如螢見日月。

10

投身世界戰，
無援久孤軍，
彼美在我傍，
若擁百萬衆。

11

當我疲倦時，

（47）

永無片時息，
臥彼懷之中，
令我忘一切。

12

我求人生樂，
辛勤無所得，
今我逢彼美，
大地無悲戚。

13

我本一超人，
遨遊世界頂，
自我得彼美，
赤子得慈母。

14

我有無限情，
藏之無處發，
今乃得所售，
不復歎失業。

15

飛鶴唳長空，
落梅含幽怨，

（48）

百年如一曲，
我彈而君唱。

16

我身入君眼，
我影得永存，
乃知造我者，
我生專爲君。

三　恆山心影

1

我以天耳聽君心，
君心向我作交鳴。

2

我欲臥君之玉懷，
君懷爲我開不開？

3

我乃山中之空氣，
入君肺腑永不去。

4

君試摘花插鬢間，
鬢間情語誦琅琅，

（49）

君見小草繫君裙，
此草乃我之化身。

6

枝頭殘紅爲君落，
欲以香吻吻君腳。

7

我乃天上一輪月，
照君玉影倍皎潔。

8

我乃山巔之白雲，
與君溶合不可分。

9

我命細柳爲君舞，
君心與柳共天孃。

10

我邀和風爲媒妁，
與君傳送求凰曲。

11

我釀清醇之美酒，
爲君洗塵作歡飲。

（ 50 ）

12

我如菊花九月開，

欲開不開待君來。

13

君欲留兮夷猶，

誰阻君之清遊？

14

君作恆山之吟兮何爲？

將以遺我兮雙美？

15

君之來兮何晚？

孔眼欲穿兮我魂欲斷！

16

我之哀鳴兮無以寄君，

君愛我兮，君將聽之於無聲！

四　離魂曲

1

桂冠兮塵封，

晶淚兮成冰，

愛不我與兮，

（51）

吾將爲誰而生？

2

大海兮濤狂，

吾生兮如船，

誰爲我把舵兮，

駛向日出之東方？

3

我有佳人兮，

溺彼現實之濁流。

我有佳人兮，

日隨風波而浪遊。

4

一日不見兮，

有如三月——

三月不見兮，

吾淚盡而成血。

5

我無羽翼兮，

負彼倩身之姈婷：

升之於光明之天兮，

息之於理想之宮。

（ 52 ）

6

彈不成聲兮，

聽而不聞；

吾將碎此綺琴兮，

易之以鐘鼓之噪音。

7

生不足戀兮，

死又何惜？

不得佳人之一盼兮，

吾雖死而不瞑目。

8

吾生有所爲兮，

爲彼佳人。

吾有美才兮，

將獻之以求婚。

9

臉漂亮兮眼昏，

桃李其貌兮，霜雪其心，

視我之珍寶兮，不值一哂——

我之珍寶兮，固鍊自宇宙之精醅。

10

吾歌未終兮，

吾魂已飛；

吾將化爲厲鬼兮，

憑彼身而作祟。

11

吾欲吮彼鮮血兮，

舌橋而口噤；

吾欲扼彼香頸兮，

手麻木而不靈。

12

魂兮何怯？

彼乃我最高之主宰兮，

么麼之小魂兮，

汝欲何爲？

13

吾生爲佳人而生兮，

死亦爲佳人而死，

魂乃我之奴隸兮，

汝何敢忤余之意？

14

吁嗟我魂兮，

（ 54 ）

汝何太愚！

吾既命汝以殺彼兮、

吾又將執此以正汝之罪！

15

吾愛佳人兮，

甚於愛我，

汝精誠之忠魂兮，

猖猖兮為何？

16

吾作招魂兮，

命彼歸來，

吾欲托之以重任兮，

為我作玉宇之郵差。

17

魂兮歸來！

汝為我寄言兮與彼佳人，

謂我之天馬已備兮，

吾將馳騁於穹窿之太空。

18

吾將登富士之高巔兮，

吸東方之朝暾；

（ 55 ）

吾將泗愛琴之幽窈兮，
矚海女之仙宮。

　　　　19

吾有幻夢之靈吻兮，
吾有雄武之偉幹：
朝飲巴黎之佳釀兮，
夕以柏林作戰場。

　　　　20

吾將攜艇於斯比西灣兮，
弔雪萊之香魂；
吾將飛馬於米梭朗其兮，
跡拜倫之故蹤。

　　　　21

拿破崙之獷驃兮，
留滑鐵盧之遺哀；
維廉第二之輕狡兮，
宜普魯士之失敗。

　　　　22

吾將濺血成洪流兮，
同衆魔而永沈；
吾將橫屍作虹橋兮，

（56）

渡生民於樂欣。

23

吾欲鞭馬克司之屍兮，

何為造科學之讕言？

俄羅斯二萬萬之赤子兮：

遂初生而逢殃。

24

炸彈兮雷鳴，

飛艇兮翔空，

血迸飛兮天紅，

吾叱咤兮指揮於其中。

25

吾有其志兮，

而失其力，

吾魄空存兮，

吾魂已侍彼佳人之側。

26

願佳人兮赦予，

賜吾魂兮來歸，

願佳人兮垂愛吾魂，

使彼得轉意而返命。

（57）

27

嗟余一失侶之雁兮，
嚶嚶而哀鳴。
余生而無所着兮，
何暇顧衆庶之悲欣？

28

我有喧天之鼓兮，
請佳人爲我敲之！
我乃千里之馬兮，
汝何爲棄而不騎！

29

汝爲我揚巾兮，
如雲旗之飛空。
汝櫻唇之微動兮，
我如聞上帝之詔命。

30

吾若枯骨兮，
欲求生而不得，
汝旣有此誓言兮，
何不賜我以處女之鮮血？

31

（ 58 ）

汝之法力兮無窮，
我之所愛兮惟汝一人，
汝何以寬博遇衆兮，
獨報余以慳吝？

32

吾魂營營兮，
彼沈默而不言，
不識我之美意兮，
謂爲蒼蠅之聲。

33

欲歸而未敢兮，
欲留而不能，
吾可憐之窮魂兮，
迷惘而不知所從。

43

吾批頰以自責兮，
血浮浮其滿襟。
魂無辜而受罰兮，
吾何爲出此亂命？

35

聲嘶而力竭兮，

（ 59 ）

魂憊憊而將死。

招吾魂其來歸兮，

聽吾二次之差使。

36

歸來兮吾魂！

請返君之故居。

君流離其失所兮，

我惶惑而無所措。

37

汝為我作哲士兮，

識天地之玄冥，

雖至遠與極微兮，

汝觀之如掌文。

38

汝瞑目而遐思兮，

告我以佳人之何想？

汝攘袖以伸指兮，

為我彈佳人之心絃。

39

面微暈兮泛朝霞，

眼流波兮浮碧水，

（60）

彼玲瓏之巧心兮，
汝耀彼方作何語？

40

身若被電兮心若驚弓，
神思瞀亂兮坐臥不寧，
汝報我以此訊兮，
我將為彼作安慰之妙音。

41

靜夜兮孤燈，
對卷兮微吟，
彼吟美的頌歌兮，
抑恆山心影？

42

見宿鳥兮傷離，
臨流水兮嘆逝，
何不酌青春之醲醪兮，
賜以醉彼之愛者？

43

汝熟催眠之祕奧兮，
引佳人而入夢：
夢我栩栩而化蝶兮，

（61）

飛入彼嫛眇之酥胸。

44

理情絲而成線兮，
招月老而語之：
貫佳人之靈竅兮，
繫之於我之窩臍。

45

我大如宇宙兮，
小如電子，
彼立我指爪之上兮，
我宿彼血輪之內。

46

汝爲我作天使兮，
駕彩雲而翱翔，
餘仙樂之嫋嫋兮，
吾來自理想之鄉。

47

安那其之美備兮，
乃超人之所居。
吾在羣彥之中兮，
忝濫竽而充數。

（62）

48

聞故土之哀鳴兮，
吾心悸而情動，
不惜天遙而路遠兮，
將以救落伍之諸昆。

49

掇太陽而爲光兮，
發狂飈之長嘯，
衆耳聲而目眩兮，
呪我爲亂世之妖。

50

吾懷忠而見謗兮，
心迸裂而欲墜，
忽見佳人之倚樓兮，
眼盈盈而望我。

51

吾歔欷而欲涕兮，
忽失聲而成歎，
知佳人之卓越兮，
誠萬物之靈長。

52

(63)

戀意積於中情兮，
身炎熱其將焚，
向佳人而致辭兮，
曷扶搖而上登？

53

愛佳人之聰慧兮，
知人生之何求，
吾與汝比翼而齊飛兮，
歸永樂之芳洲。

54

嗟佳人之易感兮，
愛隣人其如己，
我爲君作破壞之暴徒兮，
君爲我宣和平之法旨。

55

羨佳人之靈秀兮，
乃造化之所鍾，
我智盡而技窮兮，
願委身而待命。

56

我憤懣其欲狂兮，

（ 64 ）

— 74 —

將倒行而逆施，
願佳人之賢淑兮，
復我壯美之初志。
57
恍大夢之初覺兮，
衆欣欣其再生，
吾與汝先驅而指路兮，
衆踴躍而追奔。
58
忽所向之畢至兮，
聞歡呼之如雷，
我與汝唱凱歌兮，
衆齊聲而和之。
59
吾千呼而萬喚兮，
魂寂寂其不歸。
釀江水而爲酒兮，
奠吾魂而招之。
60
汝爲我作詩人兮，
吐驥邈之頌歌，

(65)

向佳人而誦之兮，

彼遶墻而投我。

61

泣杜鵑之幽咽兮，

唳玄鶴之清朗，

彼情波之蕩漾兮，

若沈淵而升天。

62

綴星斗而爲字兮，

織雲霞而成章，

猗光怪而陸離兮，

呈佳人之靑覽。

63

借廣陵之絕調兮，

譜絲綺之新聲，

彼知音而識曲兮，

效文君之來奔。

64

挹清秋之玉露兮，

曜春日之明輝，

感芳齡之不再兮，

（ 66 ）

願及時而愛予。

65

彼永夜以相思兮，
魂忽忽其將離，
爲彼作安眠之歌兮，
引佳人而入寐。

66

鳴泉噎其湍瀨兮，
垂楊失其旖旎，
吾詩成而遙思兮，
問佳人之知否？

67

纍雪花而爲屋兮，
鑲流星其盈楣，
吾新造藝術之宮兮，
待佳人之卜居。

68

振鳳鳴之卽卽兮，
於雀噪之啾啾，
彼芳心之自警兮，
恐託身之非偶。

（67）

69

憶佳人之巧腕兮，
成錦繡之奇文；
哀佳人之纖指兮，
如著花之殘痕。

70

高額開其惠容兮，
吾号吮而孤鳴，
驚佳人之睡夢兮，
玉淚漬其沾衾。

71

辭傾河海兮筆挾雷電，
四韻鏗鏘兮五色斑斕，
神與雲飛兮邈思飛來，
惟賴佳人兮賜我靈感。

72

空氣顫兮如梭，
歌音起兮如波，
聞清和兮不疑，
非佳人兮伊何？

73

魂兮汝其遄歸！
吾有寶劍兮待汝佩之。
汝爲我伴俠客兮，
爲佳人之護衛。

74

彼性善而膽怯兮，
畏社會之輿論；
彼天真之未鑿兮，
昧人世之僞情。

75

彼貌美而名高兮，
翠蟻爲其爭逐，
彼獨力之難支兮，
何以誅此妖孽？

76

生小家之碧玉兮，
長藝林之名媛，
衆庸愚而不識兮，
猶視之如疇曩。

77

少見而多怪兮，

(69)

衆口騰其沸沸；

思高而行邁兮，

宜祖會之謠詠。

78

凡於彼有不利兮，

汝殺之而勿疑！

凡爲彼所不喜兮，

悉聽汝之裁制！

79

魂兮歸來何遲！

上帝賜我遺產兮待汝受之。

汝爲我作富翁兮，

散之以樂佳人之意。

80

移廣寒而爲宮兮，

折若木而成堂，

浴天河之神水兮，

臥海龍之玉牀。

81

戴孔雀之彩翎兮，

披仙鶴之白氅，

（ 70 ）

集狐腋而成裘兮，
圍虹蜺之華裳。

82

漱蟠桃之香露兮，
理朝霞之新妝，
佩瑤台之紅玉兮，
插淨土之白蓮。

83

畜羚羊而成羣兮，
驅蛟龍而守戶，
飼鳳凰於金籠兮，
代檐前之鸚鵡。

84

駕鵬翼而爲艇兮，
闢瑞士而成園，
攜佳人而同游兮，
衆驚覩如逢仙。

85

何頑魂之倔强兮，
終不聽余之命？
見蘆葦之委靡兮，

（ 7 ）

若謝余以不敏。

　　　86

疑急喘之難續兮，
疑屍碎之無存，
汝臨陣而逃亡兮，
抑齎志而殲身？

　　　87

天地隘其無隙兮，
日月唔而不明，
哀吾身之何託兮，
將隨魂而俱盡。

　　　88

攀樹頂以俯矚兮，
羨湖水之淸優，
欲踴身而下躍兮，
與白鷗其同遊。

　　　89

飮高粱之渾液兮，
日蕾蕾其常醉，
余人中之健者兮，
何生涯之如此？

　　　（72）

90

夜耿耿以不寐兮，
對詩卷而孤吟，
何明月之臨窗兮，
無佳人之伴予？

91

歎奔波之徒勞兮，
欲抽身而自爲，
偶一時之偷閑兮，
情脈脈其念汝！

92

在璞玉兮琅琳，
欲以遺兮佳人，
吾三獻而未刖，
乃失我之精魂。

93

伊秋風之將息兮，
吾乘槎以東征。
逐三島之浮鷗兮，
搏東海之長鯨。

94

（ 73 ）

吾欲先登恆山兮，
覽北方之雄奇。
小鳥喃喃其語我兮，
謂佳人曾遊於此。

95

撫石上之餘影兮，
嗅腳下之香塵，
風颯颯而樹動兮，
疑佳人之來臨。

96

吾將繞道至西湖兮，
觀南方之佳麗。
見師復之遺塚兮，
俟汗下其如雨。

97

失春光之明媚兮，
餘秋色之蕭條；
知佳人之好遊兮，
願明年其來早。

98

吁太原之末日兮，

（74）

或世界之生辰?
余行裝之已備兮,
待魂歸而登程。

99

魂渺渺其無影兮,
余嗷嗷而望汝!
縱忽忽以失路兮,
何久久之不歸?

100

忽山嶽之崩頹兮,
余倒身而在牀。
如佳人其愛我兮,
請為我爇返魂之香!

五　愛的憧憬

明月在天,照我孤眠,
我思愛人,在彼西方。

西方淒清,愛人滯停,
思我不見,淚下成冰。

（75）

冰淚如丹，歷歷胸前，
我欲飲之，消我渴腸。

愁思如結，魂斷欲絕，
願得天手，繫魂解愁。

破聲隆隆，震我肺動，
我欲起舞，靜彼妖夢。

愛人不見，失我主宰，
身且不保，勇自何來？

萬念俱寂，我心惟汝，
裝心入筒，將以寄之。

氣塞汗蒸，郵差怪懯，
疑被鬼憑，如負千鈞。

愛人見之，樂極涕零，
視之無形，而聞其聲。

(76)

其聲華貴，如鈞天樂，
其聲淒楚，如鬼幽咽。

把玩不釋，悲喜交作，
以我心動，知彼情結。

汝亦有心，何不寄我？
兩心相易，各得其所。

我有父天，錫我苦寒，
我有母地，畜我空房。

我有愛人，勞我思量，
我有生命，一息慨慨。

我有奇謀，藏之胸中，
我有寶劍，羞澀苦生。

我有同情，棄置不用，
我有胞與，救之無心。

（ 77 ）

我有哲學，輟筆中斷，
我有藝術，失其寶光。

我欲遠遊，脛斷脚胼，
我欲自殺，愛汝不忍。

我居宇宙，如居荒島，
海水茫茫，圍我周遭。

長鯨吼鳴，對我流涎，
欲食我肉，飽彼饞腸。

妖狐撲率，獻媚求歡，
欲吸我精，羽化登仙。

蘆葦輕佻，作態翩翔，
笑我孤獨，益我淒涼。

颶颶颶風，為我少停！
願附汝脅，與汝長征。

（ 78 ）

紅葉墜地，霜寢其上。
我生如葉，我心如霜。

我有扁舟，輕巧玲瓏，
髮作風帆，肺作舟身。

十年之功，一旦無存，
我陷荒島，彼留海濱。

我呼愛人，汝其救我！
汝手頎長，爲我把舵！

碧波鱗鱗，舟行盈盈，
我唱禱歌，汝誦福音。

我本無生，而汝活之，
願作牛馬，供汝驅馳。

鳴衾瑟瑟，伊誰在傍？
不見愛人，惟見空牀！

（ 79 ）

挑燈展卷，讀我安那，
寒光如燐，斷魂欲化。

紙墨飛動，疑在書中？
我呼愛人，愛人不應。

嗟我維特，汝誠我師！
願入汝墓，與汝同棲。

蘇賓何人？奪我海琳！
汝有華飾，我有裸身。

鄭恆猖猖，怒目向我，
我無紅娘，其奈君何！

如居垓下，四面楚歌，
拋書起舞，淚下成波。

鳳兮鳳兮，何德之衰！
舉世皆聾，汝欲何爲？

(80)

昔居山中，羽毛豐潤，
今來塵世，神形交病。

欲誦頌歌，超拔凡庸，
遭時不遇，乃變鴉鳴。

鳳兮鳳兮，望汝來歸！
賜我勇氣，與我和諧。

我生渺小，如葉在樹，
不有好羣，何能獨愉？

(82)

創　傷

一　沈　沒

我本來想着上升，然而我却下降了。

什麼是生命呢？生命是不斷的努力，更高的享樂的追求，永無止境的向上。

"我感到空虛，我在桎梏的現實底下，我快要破滅，枯朽了。我需要新的食物，新的痛苦，我需要更大的負擔，我需要創造！"當生命在我的心中這樣的喊着的時候，我便開始了我的上升。

然而我却下降了。如海上遊行的小船，我遇到暗礁。如天空飛行的鳥兒，我觸在突出的堅硬的巖石上，折斷了翅膀。我將死地呻吟着，躺在最下面，憤怒的火燄，張着血紅的脣吻，貪婪地咀嚼着我。

(83)

我將呼救嗎？同情已經死了。在我的周圍，只有訕笑，侮辱。

朋友！假如你要倒在地下的時候，除了足的蹴躪之外，你還想有所別的希求於這些人們嗎？

我將做夢嗎？我夢中所見的仍然是觸礁的破船，折斷的翅膀，訕笑，侮辱，足的蹴躪。

我將無所需要，我將仇視人類，我將以憤怒爲惟一之食物，我惟將以憤怒充實我之空虛。

二　血的帝國

只有血是有值價的，紫黑的血，從罪惡的胸腔裏噴出的血。

你餓了嗎？美女的含毒的血管裏有過多的滋養料在儲存着。張開你的銳利的牙齒，去咬那嫩的皮膚，便會有噴泉般的鮮血，射進你的嘴裏，使你醉飽，使你因過度的享樂而感到披勞，你將一無所思，滿足地睡倒在烟霧瀰漫的榻上。

被別人吸盡了血的人們，尤其需要十倍之多的血，從別人所流出的，以作補養。

你與其拜倒於沒有的上帝之前，倒不如給血的帝國作了恭順的臣民。祈禱是需要着頒賜的，如此，你將得到血的溫泉的供養，如供養於奇花之上。

有愛人而只握其手，而只接其吻，而只享樂其肉，比鰥夫望洋而興歎者更其不幸。愛的真理，便是從靈魂裏流出的血的相互酬贈。如此，你便戀愛過，生活過了，你用獵人的殘忍吸盡你的愛人的血。

苦呵，無血可食的人！……

我是苦的人嗎？……

三　我願入地獄

我願入地獄。地獄有獰猛的面目，浴血的屍體，裂帛的吼鳴，宰割的嬉遊，強盜們，淫婦們的肉搏。

有將死的唱歎給我傳來。這是來自天堂上的。好名而不務實的君子賢人，為平靜與單調所喧嘩所擾亂而啜泣了。啜泣着他們生前所珍惜的血，血是以流盡為滿足的，不善流者，却流之於虛無，於不安。

我聽見天堂的極細的聲響，我恐怖，我周密地防禦，我懼有天女之手攜我而投彼浮華之深淵。

能滿足我者，便是我的天堂。我自有我的天堂，我的天堂便是地獄。

我渴望真實的痛苦，嗜好痛苦者以得到痛苦為享樂，我的享樂永無滿足之一刻，我時時追求更大之痛苦。

旁觀者的揶揄，朋友的腹議，敵人的譏笑，使我失望，使我熱愛打擊之靈魂不堪忍其無濟之扒抓，之疲倦。我藐視一切人類，一切生物，一切目之所見與所未見的實有。

我願入地獄，我將於彼處尋求更大之打擊，而得無上之法悅。我將被吞於毒蛇爍金之口中，而焦化我之血肉，而飛迸於跳舞者之脚上，而與毒龍之飢號作和諧之共鳴。

我將立於魔王之頂上作獅子吼：我是更大的魔王！

四　希望之一

我希望有一座大山，不可移動的，壓在我的胸脯上。這太消閒了，只有薄的破被，只有毫無重量的屋頂，只有空虛的天空，消閒到連睡眠都捉不住了。

只要有一座大山，社會一般黑的，黑暗一般重的，人類的獸性一般不可移動的，壓在我的胸脯上，我便會復活，生命的光，便會又復熱烈地焦燒着我。

只要如此，我的胸脯裏便會有女性的嬌音，發出餓狼的絕叫。

（ 86 ）

那時，我所失去的力，便會交還了我，我便會撐着自效的決死的勇氣去承受牠的壓迫。

那時，我的額上，便會噴出跳躍的熱汗。我的四肢，便會因過度的抵抗而睡眠於死的癱瘓裏。

那時，奔流的血液，當又復還於鎮靜，然已是得勝後的鎮靜了。

那時，便只有靈魂還清醒着，發着健全的光，照耀着鎮靜的血液，癱瘓的軀體，發汗的額腦，甜美地睡眠的胸脯。

五　街　上

我無心地徘徊着，在街上，在墳墓中。

我看着人們的相互踐踏，相互遺忘，復活了的屍首們的還陽，人類的滅亡的復演，我愉快。

我看着胖的紳士，腐肉的紫腫，工廠中製造出的花樣的玩偶，被侮辱的物質的力，死的馳逐，卑下的傲慢。

我看着被他的脊背和他脊背以外的東西所推運，所豢養的力士，同樣卑下的，同樣傲慢的。

我看着只剩有兩腿的殘廢者，在土的飛舞中旋轉着，跳躍者。

（87）

　　我看着錢，及錢的變形，無人樣，無人味。

　　我看着在腐肉底下壓碎的淫猥的女性，自命方正的，自命清高的，自命能幹的，自命覺悟的。

　　我看着新死的英雄，活動的詔匣：敷着白粉的破布，畫匠的寫生，古董店中的贋造品。

　　我看着自然母親的懷，遞流的血，飛揚的沙上，成羣的蒼蠅，烏鴉。

　　我看着光明的黑暗，公開的秘戲，實有的虛無。

　　我看着棺材，棺材……

　　我無心地徘徊着，無心地躺了下去，在街上，在墳墓中。

六　幻　滅

烟，繚繞的雲，
微盼的天青，
交織的明星。

雲的衣，
美的吻，
酩酊着，酩酊着，
醉的心。

銀的羽，
翺翔着，
心的倩影。

在無地，
我織着，
美的夢，
無物地輕盈。

烟，繚繞的雲，
破碎的我的心，
無似地淡勁。

七　精　神　與　薔　薇

1

精神　是誰在那裏歎氣呢？
薔薇　是誰在那裏歎氣呢？
精神　你的聲音好熟呵！
薔薇　你的聲音好熟呵！
精神　你不是薔薇嗎？

薔薇　你不是精神嗎?

精神　我們離別好久了!

薔薇　久到連什麼時候離別的都記不得了。

精神　你這一向的生活還好嗎?

薔薇　我在這裏歎氣呢!你呢?

精神　你剛纔不是已經聽見我歎氣了嗎?

薔薇　我們都是一樣的苦!(沈默片刻。)你的希
望都那裏去了?

精神　我被絕望充滿了。

薔薇　還是你勇敢一些。我只剩下了空虛!

精神　他們是多麼卑下的動物呵，這曾經令我
們誤認爲神之子的!

薔薇　尤其是他們的鄙俗!

精神　他們雖然很懦怯的，然一見了我,他們好
像便勇敢了,他們用了全副的力量來抵
拒我,他們便是抵拒盜賊的時候,都沒有
那樣勇敢。懦怯的勇敢呵!

薔薇　最討厭的,是他們的那種猥瑣。他們也好
像在愛我似的,然而他們却損壞我。他們
享受了我的顏色,却殘賊我的生命。

精神　我現在相信,他們比狗也好不了什麼;或

(90)

者還要壞得多，因為狗只是沒有接納我的能力罷了，而他們却要抵拒我。唉，我曾如何忙碌過來呵！而我終於連一片安身之地都沒有找到。我的生命全送到追蹤去了。你應該珍惜我的歎氣，因為這是惟一剩下來的我了！

薔薇　假如他們也像狗那樣的拒絕我時，那我便幸福了。我連追蹤都得不到，我只有忙碌，被錮閉的忙碌，然而我終究微倖，我還有這最後的歎氣留給你呢。

精神　我愛你的歎氣！

薔薇　我愛你的歎氣！

精神　親愛的！我的生命復活了，從我聽見你的歎氣的那一刹那起。

薔薇　親愛的！你的歎氣使我有能力說了這許多的話；而且還要說下去，永遠沒有斷絕了的。

精神　讓我們享樂自己吧！

薔薇　因為只有我們自己是可愛的。

精神　他們滅亡的時候快到了，讓我們靜靜地擁抱着，等候這個好玩的把戲吧！

(91)

薔薇　這的確比什麼都有趣。我們還一向沒有
　　　看見過呢。然而這的確快要來了。

精神　也不叫喊，也不痛苦，去就那死的滅亡——
　　　多麼新奇的故事呵！

薔薇　我却希望他們叫喊，他們痛苦，因為那
　　　樣，我便更覺得快樂了。

精神　親愛的！我的生命酩酊了。

薔薇　親愛的！我的話多到要沈默了。

精神　親愛的！讓我們沈默着享受我們的生命
　　　吧。

薔薇　親愛的！讓我們擁抱吧。

精神　給我你的手！

薔薇　給我你的手！

精神　你的手在那裏？

薔薇　你的手在那裏？

精神　你……？

薔薇　你……？

2

薔薇　我們是在做夢嗎？

精神　我却聽見了你的聲音呢。

薔薇　我們被牆隔絕了。

（ 92 ）

精神　多麼脆的，硬的鐵啊！

薔薇　我以爲我們是在他們上面呢，却早已被
　　　他們壓在下面了。

精神　這便是我們的義勇的，犧牲的報酬！

薔薇　我們連自己都失陷了——

精神　爲了救那些失陷了的。

薔薇　讓我們搗碎他們的圈套。

精神　我的手已經出血了。

薔薇　我的氣力已經用盡了。

精神　這比他們自己還堅固呢，這圈套！

薔薇　所以他們也將死在他們自己的圈套裏。

精神　而我們却不能，讓我們更加用力地搗碎
　　　了牠。

薔薇　讓我們互相聽着我們搗牠的聲音。

精神　我的手折斷了，我只剩下了血。

薔薇　我的心碎了，讓我拿我的心的血來醫治
　　　你的手。

精神　我們已經被隔絕了。

薔薇　可憐的你的手呵！

精神　可愛的你的心呵！

薔薇　可憐的，可愛的我們的血呵！

（ 93 ）

精神　可恨的,可殺的畜生們呵!

薔薇　但是,他們快要滅亡了。

精神　我們也要滅亡在他們底下。

薔薇　在他們上面的我們?

精神　我們現在是在他們下面了。

薔薇　救救我們自己!

精神　殺掉那些壓迫着我們的!

薔薇　殺掉那些爲救他們的滅亡而滅亡了我們
　　　的!

精神　他們在滅亡的路上還大搖大擺地擺架子
　　　呢,這些虛僞的,遲緩的東西!

薔薇　讓我們點一把火燒掉了他們的虛僞!

精神　讓我們吹起狂飆促進他們的死亡!

薔薇　滅亡的惟一的福音呵!

精神　我被憤怒充滿了。

薔薇　我被希望炸裂了。

精神　我要囘到拒絕我的那裏去。

薔薇　我不再需要他們的拒絕了。

精神　他們將要歡迎我。

薔薇　我要借他們自己的手去殺他們。

精神　我要用更大的虛僞毀滅他們,因爲他們

（ 94 ）

是不拒絕虛僞的。

薔薇　我要在他們喜歡喝的蜜酒裏渗進毒汁去。

精神　讓我們用一切的方法——

薔薇　只要能夠更加迅速他們的滅亡——

精神　因爲只有他們滅亡我們總能夠復活。

薔薇　我們將要在他們的屍首上跳舞。

精神　我們將要喝他們的血的合歡之酒。

薔薇　這樣的一日快要到了。

精神　讓我們趕快動身吧。

薔薇　我們不能再握一次手了嗎?

精神　快走!快走!我們已被隔絕了。

薔薇　將死的握手?

精神　快走!快走!

薔薇　親愛的?!

精神　親愛的?!

八　指骨

我看見一塊骨頭在地上跳躍。我立刻認識了這是我某年從我某個指頭上掉下來的一塊骨頭。我的心跳了,從牠跳的聲音中,我聽見這樣的說話: ——

(95)

"我親愛的微質！你現在還活着，所以你還跳躍嗎?

"或者，你已剩下最後的一跳，特地來辭別你的兄弟們嗎?

"或者，你只是偶爾的一跳，爲着要顯示我：我的一切將要同你是一樣的嗎?

"或者，你是受着自然的某一刹那的衝動，而只是不自覺地跳躍着嗎?

"或者，你便是完全的自然，你在用你這無端的一跳，告訴我你的眞理，你的永久的神秘嗎?"

"或者，你並沒有跳，也並沒有你，只是我的心跳的某種反映的幻象嗎?"

她只是跳躍着，一句話也不說。

我的心跳得更加疾迫了，竟發出這樣的聲音：——

"呋！你妖怪！你說謊！也沒有你，也沒有我，更無賴於我的心跳，我的說話。一切都是空的，而且空也沒有，一切也沒有！"

於是，一切便都沒有了。

九　壓油子

關於壓油子的歷史，是我小時候在大煙燈旁聽說過的。

(96)

據說，壓油子是鳥類裏邊的一種，牠的身體中可以自然生出油來。這也有一定的時期，牠子體內的油太多了的時候，牠便飛到空中，"壓油！壓油！"地叫了起來。聽見的人，便把牠射了下來，把牠的油全行壓掉之後，拋到野地裏去，二次又到了一定的時期，牠便又"壓油！壓油！"地叫了。

我所聽說過的止於如此，我不知道壓油子有沒有死的時候，或者現在還有沒有壓油子一類的鳥。

但我却好像聽得空中又在"壓油！壓油！"地叫了。我知道，到了一定的時期，到我的光與熱太多了的時候，我又會飛到空中。

十　市　場

我不知道這是很大的一個，或者是很多的小的堆積，我只看見這是一所市場，建築在女屍上的無聊的人們的俱樂部。

這裏也許曾經華麗過，也許曾經充滿過女體固有的，女子裝飾品的香，也許曾經有過春天，也許有年輕的英雄流連過的，但現在却只剩着黃的沙土，沙土底下埋着的屍體，屍體上顛倒着的無聊的人們，及為這些人們習慣了而自以為香的奇臭。

在這腐爛的，為不可統計的足的蹴踢所致而發着奇臭的屍體上，設立着茶館，酒館，雜貨店。消渴的，昏醉的，無處歸落的人們，每天整千整萬地顚簸了來，便都化成了臭水，被吞沒在屍體的溶解中。

有幾處特別膏腴的地方，大概是曾經做過妖冶的眼珠，儲藏過神祕的唇吻，無厭地要索過擁抱的乳頭，變化過由紅而紫，由紫而黑的血之，流通過，吸吮過，酩酊過精液的——，便開設了綢緞店，香料店，藥房，以使自殺的保身者不自覺地被誘入毒的寝衾裏。

口是如是之大：可以塡進所有的犧牲品而仍不失其空，而且也沒有口的形式。

我不知道是需要在模仿着供給，或者是供給在鑄定着需要，或者是兩者的盲目的撮合。總之，我看見許多許多的人都悅樂着奔赴到這同樣的處所。

同樣的市場，我在各處都可以看到。

我在空曠的世界招呼伴侶而無所回應的時候，我不復能夠歎氣了，因為我已經知道了我們的男子到了什麼地方和我們的女子在做着什麼。

十一　永久的眞理

我竭力在感覺中搜尋着一件失却的東西，被許

（98）

多年的過去，許多許多的人，和理想的未來所偷了去
的。

　　我開始糢糊地看見在牀上躺着的我自己，同時
也便是別人。我好像在熟睡，却又覺着清醒，好像在
死滅，却又覺着生存，同時也便是別人清醒地熟睡
在，生存地死滅在他自己的牀上。

　　屋中如夜般黑暗，却又像新生的太陽從牆角上
正在上升。無人的擁擠，空氣一般密的人體所合奏的
跑馬式的音樂，踐踏着我的血管，氾濫着我的每一個
細胞，寂寞着我的靈魂。我從我自己，看見了人類的
堆積，已死的和未死的，和未死而且未生的。我沒有
歡喜，沒有痛苦，而且沒有歡喜和痛苦的感覺，遺忘
在沒有的別人中。

　　在無足輕重的門與門的開之間，我看見地上也
站着一個人。他是剛纔進來的嗎？或者他在我之前便
站在這裏的嗎？或者他是永久站在，或者沒有站在這
裏嗎？這些都是無足輕重的。我現在所願說的，只是
這個站着的人，便是我自己，同時也便是別人。

　　這另一個我，含毒地凝視着牀上躺着的我，我立
刻便明白了從前只是聽說過的謀殺的意義。但我並
不驚懼，我從太多的傳說已經決定了如何是必然的

(99)

命運了，我現在正在面對着命運，正在要開始一種新的試驗。我沈默着偵探我的敵人的祕密；我看見他的飄浮着微笑的唇吻上滲出淡白的毒汁，他的不動的手如何會像鷹的爪流星般抓住我的咽喉，我的咽喉如何會像汽笛般嗚嗚地叫，把牠那要節用起來還可以消費三十年，或者四十年的呼吸如何付之於慷慨的一擲。

我覺着身體開始被麻繩綁起來了，呼吸像被獵犬追逐的兔子的腳開始急促起來了，雖然我的敵人連毛孔都沒有一點輕微的顫動。但這並不能輕鬆我的感覺，因為事實是如此的。這只能告訴我，我的敵人所用的，正是傳說上大蟒捕捉小鳥時使食物自己飛在他的嘴裏所用的戰略。

我相信接觸是真的，便是沒有接觸也終會接觸在一塊的。這相信使我遺忘了牀上躺着的鎮定的自己，冷笑着地上站着的陰謀的自己。這相信告訴我，我的失敗的勝利，另一個自己如何會死在被殺者的被殺中。

同樣的歷史，可以應用在別人同另一個別人上。在某一刹那中我已經散盡了所有的真的歷史，在別人的某一刹那的歷史中。

（100）

十二　手 的 預言

靈魂住在心裏，生命住在手上。

當手偶爾縮了回來的時候，靈魂便開始在活動了。牠從永久的寂寞中找見了牠自己。牠絕望，牠憐憫手的過去和未來的盲動。手聽見牠從心裏所傳出的嘆聲，也便開始麻木起來，而生命也便開始被關鎖起來。

不羈的生命被一度關鎖之後，牠因死的破滅的恐怖而咆哮了。牠不能復忍，而手却越發麻木起來，而靈魂却仍然不息地發嘆。

於是，生命便把靈魂的罪惡提訴到心的面前。

心在片刻的驚疑之後，牠便開始在啜泣了，啜泣着血精的紅淚。

"我早已知道會有這種事出現，所以我把英雄遞給了我的好動的手，而把哲學家留在我的身旁。"心終於指着靈魂和生命說了。

"假如我有過錯的時候，那便是我不應該憐憫罷了。然而手的縮回却是我的憐憫的原因。我雖然聰明，然我還沒有聰明到無病呻吟的程度。"靈魂繼續着辯護牠自己的行為。

(101)

"我不許你嘆氣，不管你爲了什麼！你是死的**說教者**，你是除嘆氣之外一無所能的蠢物！"生命忘記了牠是在心的面前，氣憤地謾罵起來。

心見了牠的無禮的態度，也有些氣憤了。牠向着生命斥道："但縮回的是手，你應該質問你的手去！——"牠說到這裏，忽然縮住了口，因爲牠覺悟了手本來是從牠生出來的。

"這還是我自己的過錯吧？我爲什麼把我的生命交給這樣弱的手呢？"心恍然自失地質問着自己。

當然有一個時候，會有强的手出現，因爲心已經知道弱的手怎樣可以使牠自己的計劃歸於失敗。

當强的手出現的時候，靈魂雖然還要偶然地發出牠的歎聲，而生命却可以任所欲爲地向前去了。

當强的手出現的時候，心便會用牠的手說出牠不能用話說出的更眞實的話來。

(102)

土　儀

一　一個失勢的女英雄

"一直尋老嫂子吧！"

跟着話聲走進一個老婆子來，背着一條布袋。我仔細檢查她的臉，雖然肉十分減少而縐紋增多了，然而從牠的顏色和形體上，總還可以辨認出正是我在小學校時常見的那個被人叫做的'眉眉鍋'來。

少年時代的景象立刻在我腦中喚了回來。我在街上走着，旁邊站着一個胖大婦人，手指脚畫，議論風生地向着圍在她身邊的幾個男子演說她的英雄故事。接着便是一陣渾笑。她便越發起勁，越發說得花樣，連眉毛都跳動了。正像得勝囘來受羣衆歡迎的一個女將。

（103）

　　後來我便漸漸聽人說到關於她的行乞的述說，這自然很令我驚訝的。但是古代歷史上，由乞丐而變為英雄，由英雄而變為乞丐的先例很多，而這"眉眉鍋"也不過是那些後者中的許多不幸者裏邊的一個罷了。

　　雖然如此，然而今天看見她，偏要發生一些無謂的感慨。這也許便是人類的癡愚的情感的真用。

　　她一進來便向我的母親說道："老嫂子，你看我又來了！我今年還沒有出來呢。"

　　我這時，不知為了什麼緣故，竟起了一種不舒服的感覺。我不知道她為什麼竟不和我說話。

　　終於是我疑心太大，太躁急。因為這時她總注著到我。

　　"哥！你是多會兒回來的？"她立刻問。

　　她沒有注意我的回答，便向我訴起苦來，受苦的人常是以訴苦為惟一的慰藉的。

　　"叫我怎麼辦呢？老了，連個兒女也沒有，誰養活我呢？脊背要掉下來了！"

　　"掉下來便把鍋也打了！"我的三伯父在旁邊嘲笑地說。

　　要是在往年時，她聽了這話，一定要有一段快

（104）

論。然而現在的她，為窮苦與絕望所吞食，而只剩得一些屑末，還有什麼餘力來留心這些事情呢？但只在這一點上，我的同情已經油然而生了。我不知道該如何安慰她幾句話，因為我是不能夠而且不願意安慰人的。只得從那個老字上找出了一句問話。

"你多少年紀了？"

"六十五了，我到這裏已經五十多年了。人緣總還不錯，沒有做過一件壞事，沒有偷過人的，所以整理村範時我便被免過了。"

"這倒是一個完人！"我想着，却只感到十分的酸痛。

她得到她的滿足之後，同我告了一聲別走了，走回她那最後的無定的路程上去了。我也仍然在我的屋裏徘徊着，我也仍然在另一條路線向着同樣的目標作迅速的奔馳，心上擔着接繼不斷來惠顧的難於放棄的重負。

二　鬼的侵入

"嫂子！你說，我昨天黑夜夢見他第三個嬸子囘來了！怕得我什麼似的，今天起來連飯也不敢喫了。也許是我要死了？"

"你不要太多心了。那有什麼要緊？你大着膽子什麼也不要管牠，一點事也沒有。"

"不行！我不由得要怕，我覺着的確我是要死了她來叫我來了。我往常也夢過她一兩回，總沒有這樣清楚。

'她一進來便問我道：'你好過嗎？'我說：'還說呢；他和我也不知道有什麼讐呢！'她又道：'他本來不想娶你，他是和我尋悔氣纔娶得你。'

"我看見她很不好看，便問她道：'人們都說你好人樣，怎麼你成了那麼個樣子？'

"'咳！我哭了一年多，把我的臉哭壞了。'她嘆了一口氣回答。

"她說她來是叫我來的，叫我同她走。我怕了，起來就跑，她便趕我。恍惚間好像又在一個店裏似的，炕上坐着許多男人。他們見我跑進來，一個便道：'你趕快到炕上去吧！這裏都是男人，她不敢進來。'

"窗外接着便進來一種聲音。'今天我非叫得你走不可。你不出來，我也要把你的指頭割一隻回去繳差。'這時，趕我的已經不是他嫦子，又變成一個小鬼模樣的了，身上還帶着一個牌子。

"我醒來怕得很，便叫他叔叔，但人家動也沒有

(106)

— 116 —

勤………"

三　我家的門樓

　　這幾年來，我家居然也大興土木，所有的房子洞子，幾乎都已見了新泥水，不但是曾經被人奪去的幾處收了回來，而且別人的一座院子也被我家奪爲已有了。時代變得很快：從前的被掠奪階級，一轉眼間，已經跳到掠奪階級上了。

　　只有我家的門樓是最不幸的。牠在這些新興的後進之中，已經退居到遺老的地位了。牠直到現在，還是牠初出世時那一副面目。好像牠是特別留下，用以紀念那舊時代的，牠已是被劃出潮流之外的了。

　　沒有一個人曾經提議過修理牠，將來也永遠不會有的。

　　假如牠要有自知之明的時候，牠便不會以爲牠的主人對於牠的待遇不好。因爲這正是牠以外的一切都受不到的敬禮，這是因爲牠有特別使命的。

　　我從小的時候，常聽人說，有過一個什麼異人，在我家洞頂上觀風，曾經說過，這門樓很好，這個家裏將來一定要出一個貴人。

　　這也許便是預示現在的。固然，現在也算不了什

（107）

麼大貴，然而院子却新了，大了，比從前的確是貴了好多。況且異人也只說是貴，沒有說什麼大呵。

但是，這裏邊又有了破綻。門樓旣能使牠的主人，牠的伴侶都貴了起來，爲什麼反沒有能力來貴一下牠自己呢？假如牠要有自知之明的時候，這在牠，也一定會成爲一個極奇怪的問題吧？

我呢？我覺着這對於牠太寬縱了。在我的眼裏，牠是一個妖怪，是一個惡的宣傳者，牠用了牠的卑下的，荒誕的欺詐把我家的地位降低了。也許我的子姪們的純潔的童心裏，已經中了牠的毒的餘瀝。

世間有英雄嗎？誰能夠踏翻我家的門樓！

四　孩　子　的　智　慧

媽！你說爹不敢罵？爹爲什麼不敢罵呢？我就要罵，我要悄悄地罵，我出到院裏時要罵。

媽！我是你的兒，你是誰的兒呢？你也有媽嗎？我有一個媽，你也有一個媽。你是你媽的兒。媽！你也是兒嗎？

媽！你還要擰我嗎？你再擰我時，你擰我的腦袋好嗎？咳，你就擰不下我，腦袋就擰不住呵。

媽！你說我姐姐死了。你爲什麼不給我再生個姐姊呢?媽!你要生,你這會就生!你為什麼不生呢?

媽! 你說我過了年就大了。為什麼我還沒有大呢?我還要過一個年纔大了嗎?那我明天就過。那一個年是上午過的,明天我要下午過年。

媽!你沒有給成林哥送糕去嗎?那一天,成林哥還給了我好多酸棗。媽!他在那裏住呢? 不是很遠很遠的那裏嗎?媽!你給我一個糕,我自己給他送去。

媽!我叔叔是個賴小子,他今天喫糖沒有給我。

媽!我哥哥有一個頂好的匣子,他不給我。我不拘那一天,我總要偷下他的。我要悄悄地偷,我總不叫他覺了。

媽!我比阿連利害;我敢打他,他不敢打我。數我利害呢!媽!你為什麼又要說我叔叔呢?你只會說他!

五　一封未寄的信

親愛的弟弟:

我現在很鎮靜,我更加真確地看見我自己了,我將要開始我的生活的另一個新頁。

這令我自己都會喫驚的,我居然又到了這裏,我於這樣沒落之後,居然能得到未曾有的鎮靜。也許人們的話是有理的:我是個奇怪的人,弟弟!你不以我為奇怪嗎?

我很滿足,反正我所希求的已得到了。我從錯誤的,失迷的路上,達到了我的目的地。我從憤激的冒險或毀滅而恢復了健全的心。

也許這只是暫時的現象。因為我的敵人都還在着呢。都還在乘瑕蹈隙以備二次,三次……之進攻。我也許將燃更烈之毒火以與彼等作決死之搏戰。搏戰是需要鎮靜的,不然,我將永久作逃亡之敗將。

在我的過去,一切都是創傷,我不願意再回憶牠了。我現在正在破壞我的過去,我要在這血泊裏建築我的新的生活,我在創造我的光與熱。

我願你不要告訴朋友們我的去處,我要以他們的納悶為我的享樂。

聽說你也要到這裏來了,我們也許會在這裏碰着的。人生之樂,無更過於碰着!

狂飆使我痛苦,我最愛的狂飆賜我以最重的創傷。破壞呵! 讓我們第一板斧,先砍翻我們自己的孩子!

長虹,地球之一角。

六　孩 子 們 的 世 界

(110)

在院之一角，法律所沒有管轄的地方，孩子們游戲着，孩子們在那裏創造他們的世界。

孩子們應着他們自然的需要，而游戲，而創造，而爭吵，而相撲。孩子們自由地排演他們未來的英雄的戲劇，在他們自己的世界中。

孩子們爭吵着，相撲着，而沒有爭吵與相撲的意義，法律沒有管轄到他們，法律也沒有管轄他們的權利。

孩子們是純潔的，無畏的。孩子們在別的世界上，去建築他們的世界。

然而，當他們的母親出現時，孩子們便立刻變成了成人，立刻陷落在下面的世界中。

他們從威嚇而學到了畏縮，卑怯，從鞭撻而學到報復與殺戮，從威嚇與鞭撻的逃避而學到了狡詐與竊盜。

孩子們有不復爭吵，不復相撲的時候，而他們却了解了眞的爭吵與相撲的意義。

孩子們是無知的，無助的，孩子們沒有法律的管轄，所以保護孩子們的母親便出來管轄他們。

當孩子們的母親出現時，孩子們便立刻變成了成人，立刻從他們的世界，被提升到上面的世界中。

（III）

在世界的上面法律所沒有管轄的地方，孩子們自有他們的法律，有保護他們的母親。

七　悲　劇　第　三　幕

我弟兄四個，所以悲劇是應該有四幕的。不幸，第一幕被二弟演了，我接着演了第二幕，現在，第三幕，便輪到三弟身上了。

我從前也曾做過夢，大概這第三幕應該不至於有，我們總該有能力去制止牠的發生。後來，我便知道，我所做的誠然是夢。

前年的春天，我接到三弟的一封信，問我關於這件事情的抵抗的方法。我答說：抵抗方法，只有我們有錢，然而我們偏沒有。為今之計，只可暫且沈默着，先把身子脫了出來。惟一所能辦的，便是延遲婚期，以備尋逃跑的路。

夏天，我遇見二弟，他說，他把那個媒人狠罵了一頓。這令我笑了，這與媒人有什麼關係？然我也知道，這只是他的無可如何的氣憤的發洩罷了。

此後，我們便時常想一些逃跑的方法，然一件也沒有辦到，將來也未必會辦到的。

現在，三弟的心裏，已經隱藏着一種深刻的悲

(112)

哀的影子，他已經嘗到社會的滋味了。而且，無端地，他好像在啜泣着，要哭了出來的樣子。這令我幾乎想得抱住了他，同他盡情的一哭。我又從他看見了我過去的自己，我便越發爲他擔憂。我更沈痛地想：我們簡直不是人，只是同樣的製造品，給社會做標本的！

我同三弟的談話中，時常避去了戀愛問題，以免得觸着他的悲哀。有時他問了起來，我也便說：現在外邊的女子，都也差不多，都還是愛臉子，愛錢，愛名譽，愛依賴，愛安逸，很少能夠發見了自己的，或者完全沒有。大抵，在現實底下壓迫的人，如有了一種高的理想，便只能越發緊鍊他身所受痛苦，假如這理想是空的。反之，眞的發覺了現實的黑暗的人，一旦意外之間遇見一種理想的事實，便決沒有讓牠空過去的。我以爲我對於三弟的話是最爲適當的了。

聽女人說，婚期明年就要舉行。她勸我出來把這件事趕緊做個了結，不然，兩個人都不好。我如何能夠管得了這事呢？況且母親又病着。我知道，她這時也正在看見了她自己，然而，我沒有能力救我自己和救她，我又如何能夠救那同我一樣和同她一樣的我和她呢？

一天，我只得向母親提議道：家裏媳婦們很有幾個，也不缺使喚的了，三弟的事，遲幾年不好嗎？母親極堅决地說：不行！我决意明年娶了過來，我的身子很不好了，趁我活着，我親自再調敎她一二年。

況且母親又病着！——

八　正院的掌故

在我的家裏，我常被叫做一個冷淡的人。也許他們是對的，所以一天正在家人歡聚的時候，我却一句話也不說，只想着十數年前在這個屋裏住過的一個毫無瓜葛的老人。

在那時，這個屋子和這個屋子所坐落在的我們的正院，已經有好多年被我的三祖父賣給一個鐵店的掌櫃，做了伙計院，我所說的老人，便是給那掌櫃做伙計的，正住在這個屋裏。他大概是我八九歲時搬來的，一直住到——不記得了，大概總有五六年的樣子，他是個很和氣的老人，對於我們家裏的人，尤其對於我，特別要好。所以他以後雖然搬走了，我以後也到外面去了，後來還聽說他已經死了，然在這十幾年我的囘憶中，却時常有他存在着的。

關於他的瑣碎的事情，很有幾件，曾使我當時起過一些新奇的感想的。例如：在我所見過的家裏，都

（114）

是女人做飯，而他却是男人做飯，我的祖母，我的伯父們，都叫他'血哥，'我和我的兄弟們也都叫他'血哥，'好像我們都是同輩似的。在我們那裏，只有女人纔罵人'挨刀鬼，'而他罵他的兩個孩子的時候，却也罵'挨刀鬼。'我當時很以爲這是因爲他做飯的緣故，變了女人的說話。諸如此類，都使我驚奇，莫名其妙。

他時常叫我喫他的飯。他的飯做得也未必好，然我喫着，却覺得比我家的香了好多。

他喜歡同孩子們玩笑，給孩子們談一些故事，這大概也是我同他親熱的一個緣故。一天，對着很多的人，他指着我說道："這孩子鼻子很大，'雀兒'一定也大哩！"說得人們都笑了，我却羞得紅了臉，好像不敢見人了似的。眞可惡，他偏有本事，還要發表他那不知道如何得到的一條定律道："凡鼻子大的孩子，'雀兒'便也大。"但一會兒後，我便什麼都忘記了，我們又談起別的話來。

他所談的故事裏邊，有一條，直到現在，我還記得，而且還時常對我自己複述。他說："高懷德病了的時候，趙匡胤每天打發人看他去。一天，他對他老婆說：'趙匡胤眞有交情，我病成這個樣子了，他還每天打發人來看我。交下這樣朋友，我雖死了，也很過意

（115）

的了。'他老婆很聰明，歎了口氣說道：'他那裏是看你，他是看他那顆印哩！你不信，明天把印給他帶回去，保準以後再不看你來了。'高懷德不信，便照他老婆的話做了。果然，一直等了三天，再沒有一個人來。高懷德氣得叫了三聲，便死過去了。"這個故事，也許是我少年時所得到的一個最好的敎訓，比我所讀過的哲學書都有味得多。

可惜這樣的老人便很早的死去了！那天，我在某處還遇見他的二兒子，居然也同我說話了。好幾年他不同我說話了，一定是因為他聽說我快要一個月賺六十塊錢的緣故吧？聽說他媳婦很不規矩，前幾年把鼻子也掉了。唉，可憐的死去的老人呵！

九　架窩問題

在我從太原往測石的路上，天氣很冷，風很大。我在火車中坐着，無意之間，便起了坐架窩的念頭。這很令我驚異的，我不知道為什麼我忽然愛惜起身體來了。然也不必深求；愛惜身體，總比殘害牠好。因此，我便終於作了架窩的決定。

所謂架窩者，便是用席子捲成一種如我們那裏所住的洞子的樣式，後面也用一片席子蒙着，綁在寶

（ 116 ）

際就是底子的架子上邊，架的前後都伸出兩根長杆，用兩個騾子架着走的一種坐騎。像這樣樸陋的東西，在我們那裏，便成爲貴族的專用品，按規矩，我是沒有享用牠的資格的。

我下了車，同店家的小孩相跟着走的時候，便對他說：

"我明天要坐架窩，風太大。"

"好吧，明天叫我爹送你去。"他回答。

"世間還有人在承認我坐架窩的權利呢!" 我想着，笑了。

但接着又引起我的不快的囘憶來。上一次我到這裏的時候，他爹不是趕着架窩送某某去了嗎?我同那樣卑鄙的人坐同樣的架窩；用同樣的人趕着，太屈辱!我這時，幾乎連架窩都覺得有些討厭了。

但這些，在事實上終於不會生什麼影響，所以我後來終於把架窩僱好了。

大概是因爲我受所謂與論的攻擊太多了的緣故，所以架窩剛一僱好，我便想到我囘去時各方面對我的批評來。母親一見我囘家，一定以爲我病了。女人，也許會喜歡的，因此，可以證明我在外面不像從前那樣窮了。伯父們，一定說，還沒有當了敎習便要

(117)

坐架窩，總是好花錢，沒指望。村裏的人們，一定會譏笑道，到底人家闊了，然而這些，也終於是一想便過去了，對於我是簡直沒有關係的。

次日剛走出來，我聽見後面脚步聲響得很快，立刻，在我的蔑視的眼光中，現出一個戴着黑眼鏡的紅臉的人，他看了我一眼，好像自歎晦氣似的，又退囘去了。接着，我便聽見了輿論的第一聲：'孟縣人真沒見大天，坐個那東西便闊了嗎？'我想，這是因為我並不闊，而他又步行的緣故。

到了家裏，母親驚訝地問："孩子囘來了，不是病嗎？"我說："不是，我害冷。"母親說；"不是病，便好！"

後來，我問女人道："家裏的人們對於我坐架窩說什麼話來沒有？"她說，什麼也沒有說。我說："他們什麼也不說，大概也是因為我快要賺錢的緣故！"

及至我二次又到店裏的時候，孩子問我道："你老為什麼不先捎個話來，叫架窩接你老去呢？"

世間還有人以為我非坐架窩不可哩！

十　改　良

一天的晚上，我同三弟到C爺的家裏送行去，因為他次日要起身到太原。他很鄭重其事的告訴我們，明天要在鎮上一個小學校裏開一種促進敎育的會，到會的有留省學生潘君兄弟倆及各小學敎員，叫我們明天早上八點鐘去，而且不可叫老人們知道。從我們的村裏到火車站，有六十多里路，總得大半天纔能夠到。他爲了這種改良事業，便不得不等到開完會再起身，照例是應該在十二點鐘以後的，他便不得不走一程夜路。在事實上呢，至多也不過給人們說他像瘋子的時候添了一個證明罷了：臨起身了，還開什麼會呢！

我於鎮上的事情，本來沒有什麼熱心的需要的，況且此次回來，也不過是想在地球之某一角得到幾天的安息罷了。所謂故鄉者，已經於我沒有什麼關係，何況又是改良之類幾乎不可能的故事呢？然又覺得有不能不加入之理由在：因爲不去時，便會使他老人家悲哀，越發使他深刻的感到孤立的感覺。我本來是他所認爲最有希望的後輩，我便以此項資格，終於加入了。

次日，我同三弟到學校裏時，只有差人和幾個小學生在着，與會的人，一個也沒有到，連本校的敎員都還沒有到呢。我們只得出來，到南面的文昌閣上逛去。

（119）

　　文昌閣也是C爺捐了款新修理的。裏邊供的，孔子之外，又添了一個老君。我們那裏的煤窰很多；窰黑子們便是貢獻老君的。他想藉此提倡，在每年臘月十八日例會的時候到這裏開會，漸漸引到工人的團結上去。這雖然是一種很費周折，很迂遠的計畫，然而畢竟是一線光明的影子，所以連我這樣唾棄偶像的人，對於這文昌閣，也便發生了一點好感，而且居然還有了一種進去一看的要求。

　　門子鎖着。我在旁邊點着一支煙抽了起來，三弟用方法要把鎖子弄開。終於沒有結果，我們便模糊地向四面望了片剎，惘然地走了下來。

　　二次我們到了學校的時候，不同的現象，只是跑了差人，添了幾個學生。我有些按捺不住了，然又無可發洩，也只得隨便轉着，以消磨時間。

　　C爺最先來了，他看見除我們弟兄倆外一個人也沒有到，便嚷着道：‘中國人總是這個樣子！’真的，昨天晚上在他的屋裏討論的是我們三個人，今天來到學校裏開會的仍是我們三個人。他忙着叫一個學生請人去，却說是怕碰見先生，不敢出去。別的學生也都是這樣說，於是又輪到三弟擔任了這個差使。

　　我問那些學生們說：先生常打你們嗎？答說：每

　　　　　　　　（120）

天要打。我好像聽見板子的聲音了，接着便是一羣孩子的哭。某種觀念又在我的腦中特別清晰起來：改良教育的人們，你們還是折回頭來先改良一下這些先生們吧！

人們聚集在一塊的時候，已經是十點多鐘了。在無味的問訊，無味的讓坐之後，C爺便開始了他的熱心的演說。照例是一番贊和，一番十分之一的更正，一番喧笑，結果，在舊有的十個董事之外，又添了四個新董事。推定的人，却只有我的舊同學現任第一國民教員的楊君——便是在幻想與做夢的第五篇裏做過我的伴侶的那個英雄——，其餘的三個，苦於無人可推，只得等到放假日董事們喫了火鍋之後，再集思廣益，另行搜索去了。我也沒有脫空，被推定了起草什麼簡章的人。

改良的會議，於是告終，改良的事業，當然也於是告終。C忽忽地囘家起身走了，我們也忽忽地都逃跑了出來。

我心頭確實有些作惡，這算做了一囘什麼事情呢？這與打牌，看戲，或者談說某人的一件祕密的醜事，究竟有什麼不同的意義呢？

第三天便是放假日，我並不是不喜歡喫的，却因

(121)

為不喜歡同人們在一塊喫，所以也沒有去。我只弄了一張淸城鎮敎育董事會簡章，叫三弟送到學校裏去，以慰藉在太原的 C 爺的寂寞。他囘來說，學校裏一個人也沒有，在街上碰見潘君，便叫他帶去了。

隔了些時，我聽說楊君辭職了，因為明年當値的一個舊董事曾經表示了不幹：我們老了，叫人家年輕的人們幹去吧！

我反而覺着有些熱鬧起來，誰又能說這不是這件改良事業的功效呢？

十一　廚子的運氣

正在過年的那一天，我聽見 H 太太到我家來要痧藥，說是 C 大爺前天晚上病囘家裏去了。這並不是一件奇怪的事，也不值得感傷，因為他的歷史告訴我們，他是應該如此的。

在我的記憶裏邊，他最先便是一個廚子。我的祖父的死，父親的考上知縣，以及還有由此遞降的各類事情發生，常是他來給我們做飯，他常是鍋頭上的總理。正式當廚子，却是以後幾年的事。在先，他也時常說起這個，B 哥在城裏的一家錢舖裏已經上了賬了，他要叫他在城裏不拘那家錢舖裏找一個廚子的營幹，出去活動幾年。後來這志願果然達到了。我們由此，便可以知他是一個如何有決斷，有勇氣的人。比如，我的二伯父便不如，他雖然氣憤了的時候，也常說，明年吓Ｂ找一個地方進城當廚子去，然而直到現在，還沒有當過一天廚子，而且連明年這一類話，現在也不提到了。

他當廚子的歷史，連空白也數在裏頭，大概有二三年的樣子。然這幾年的活動，惟一惹起人們的注意的，便只是他的壞運氣罷了。這的確好像是有一種定律在支配着：他沒有一次不是到不了過年總要病回家來。人們一致的說：“那樣的人，還想望什麼呢？老人們說過：‘窮了錢，不要窮了命。’他真是命裏窮！”這話如果被他聽見，他一定又要發他的壞脾氣了，罵人們都是呪詛他。然事實是如此，他也沒有法子反對，所以，後來連他自己都承認了他的壞運氣了。他以後說起了他的過去，便也常感慨地道：“我的運氣真壞！那幾年時，每到過年，把肉呀，菜呀，酒呀，油布袋呀，一切都預備好了，只等喫了。——看人家喫吧！自己却病了：不是生瘡，便是燒壞了足！”這有什麼法子呢？事實是如此，便是我們時代的新英雄們，又有誰敢於不向着事實低頭的呢？

（123）

這遭遇使他看見了自己，他再也不作到城裏去的夢想了。然而，運氣決不能因為牠安分的緣故便饒恕了他，他因此一年比一年窮了起來。後來，連他那沒有牆的院子，也賣給了我家，託庇在我母親的慈善之下，住在我家裏幫閒，當着半個廚子。但是，因為他的怪脾氣，又遇了有同樣怪脾氣的我的大，二伯父，自然要時常發生衝突的。他做的飯，也常不能令大伯父喜歡。於是，這個嫌那個的手法不好，那個又嫌這個的口味不好，以强於自信的在城裏錢鋪裏做過飯或常在鎮上各鋪家喫飯的人，決沒有對於自己的手法或口味表示讓步的事情，這衝突隨着時間的進行，終於成了以目代語的仇敵。此外，則他仍然很喜歡害病，而且一病便連房門也不出，喫飯還得我的弟妹或長工給他送去，這一點，我的母親也有些不滿意了。

這些都是以前的事情。這次我回來時，他已經不在我家了。我問起他走的緣故，母親說，他後來和她也不好了；女人說，後來和她們也都不好了。則他的走，也仍然是逃不掉的定律。

但他換的那一家，却使人們都為他擔心過，我也很為他危險過，因為那家的兩個女人，是出名的難與人共事的。如此，則病了出來，雖然又種下將來的感慨的根苗，然與其被別人趕走，又何如乾脆去服從那不能不服從的自己的運氣好呢？

　　關於這個可憐的人的故事，我還想再寫一點出來。但是，第一，怕對於讀者的口味要發生問題,第二，我也不便於自信我的手法,所以便暫且卽此而止。

(125)

(126)

徘　　徊

在荒蕪的原中，
上帝特爲我建設了一座天國。
那是生人所永不能達到的地方，
那裏只住着腐爛的屍身與乾枯的白骨。

那裏有不同凡響的音樂，
至夜半而交鳴。
那裏有淒清絕俗的鬼歌，
應西風而長吟。

那裏有慈悲的蒼蠅，
在頌祝死後的安樂。

（127）

那裡有義勇的蛆蟲，
在搬運生前的穢積。

那裏有綠燐取煖，
那裏有明星獻媚。
當月娥乘銀車而夜遊時，
那裏的茅屋便都變做瓊樓玉宇。

從那裏發出個美麗的天使，
向着我的夢中而來前。
他勸我速歸於實有的沈默，
勿復躊躇於幻滅的迷戀。

久失奉養的祖父祖母
在倚閭而流涕，
一去不返的故友
亦煩彼而寄語。

膝下的依依，
客中的歡談，
爲時間的利齒所噬盡的一切，

(128)

又歷歷如在目前。

我所接受的青春何在？
我所發下的宏願徒然！
二十七年的辛勤的馳逐，
我只贏得了病痛，憤懣！

我將掬着雙手的落花，
獻上二老的慈祥之膝。
這些無存之香與永去之色呵，
便是你孩兒的生命的成績！

我更將強抑着窒氣的嘆息，
求宥於我的大度的故友。
我所移的是荆棘的人山，
請看我的受傷的空手！

卑屈的眼中失去驕傲的彩光，
豐潤的額上刻下衰頹的橫線，
剛健的，遠征的步伐，
乃裹足而不前。

(129)

我欲以沸騰的血液，
去澆植人類幸福的花園，
爲同情而流剩的眼淚，
却澆灑向我破滅的理想。

讀厭了的陳套的歷史。
何爲向未來而續作？
只枉了蛆蟲的腕力，
與蒼蠅的喉舌！

妖媚的鬼眼
在送盼而流波，
嫋娜的松枝
在舞蹈而迎我。

慈老的凝望，
故友的重逢，
香客的敦勸，
一齊都亂箭般穿入我心。

我燃着憤怒的餘火，

(130)

向人類而致最後的留贈：
停息了你的仇視呵，我的敵人！
消滅了你的偽笑呵，我的友朋！

我的征車尚未起行，
我的背後又送來慘痛的哭聲，
聲中流瀉着無助的惜別，
聲中隱藏着失望的怨恨。

唉，何所取捨呵，我的寸心！
寸心中分開兩條相背的路徑：
一條指向着義務的生的苦鬥，
一條要引我入獨樂的死的安寢。

心～～風

樹在勁，
風在鳴。
在地上？
在我心？

疑將死，

心哀吟。
風爲我，
發興踌。

心戰慄，
如樹葉。
嗟我心！
何處落？

爲我心，
卜香塚。
隨落葉，
葬風中。

我欲愛——
愛何人？
我欲殺——
殺我身！

身可殺，
心難默。

（ 132 ）

顧如風，
長號泣。

茶館的內外

言語的喧動，
鑼的喧動，
飛叉的喧動，
唾沫的喧動，
頭的喧動，
我昏暈倒了，
在一切喧動的上面。

手巾包裹在我的臉上，
我的生命失掉了，
只有未盡的汗汁存着。

畫像上的老人
瞪視着裸着膀膊向我徹語的醜女。

飛了飛了，
一切。

(133)

脚踏車騎在學生的手上，
驅逗着學生替他走路。

兩匹馬跑進我的心的領土，
我的詩被踏碎了，
只乘下詛呪的聲音

偷喝了我的茶的强盜笑了。
"我們是朋友！"

一個煽動者的口供

叫號呵──
人的聲──
生命的聲──
宇宙的聲──

海的汹湧──
偉大的脚的跳動──
地球自身的轉運──
被箍的汽車在羞恥中逃走⋯⋯
警察立正的聲音⋯⋯

（134）

血！
無盡地流着。
軀體倒了，
而血猶立地流着。

我歡躍地吮着血，
擁抱着不倒的屍骸。

在警察的監視中，
校門上的旗幟飄蕩着，
驕傲地，安詳地，
在太陽的照耀中。

倒了，
倒了，
快從倒了的上面踏過去！

別回顧，
譏笑者來了！

嗒！

（135）

嗒！嗒！

‧‧‧‧‧‧‧‧‧‧‧‧‧‧‧‧‧

猛進！

猛進！

猛進！

無窮！

無窮！

無窮！

在一切的後面，

聳立着崇高的，壯美的塔。

（136）

其
他

綿袍裏的世界

　　我坐在一棵柳樹底下，面對着污水渠。渠內臭惡的空氣蒸騰着。我爲什麼要講衛生呢？世界不是比這道渠更爲污穢，人類的毒菌毀滅我的靈魂不是比致病更爲可厭嗎？可厭的不是那促進死亡的，而是那在生命進行的路上作界石以阻撓之的……。我身上這樣沈重的壓迫着我的這件綿袍，使我對於一切都沒有希望，都想起而破壞之的，爲什麼我沒有看見有第二人肯於同我一樣的穿着，爲什麼便是我最好的朋友，也未曾有過一個肯於同我一樣憎惡這件綿袍而爲我尋些法子脫掉了牠的呢？當我的朋友們看見我夢着綿袍的時候，他們總都是一個師父打出來的徒弟，總都裝着沒有看見的樣子。爲什麼他們要看見

（137）

呢?'你還穿的是綿袍嗎?那——那很好!'這話終於有些難出諸口!不然呢?那是很危險的⋯⋯。

我剛纔走進當鋪門的時候,我吃了一驚,頭為什麼如是之多呢? 我跑了進去,就像淹沒在大海裏似的。密密地站了一地,無足輕重的螞蟻! 帶着眼鏡的紳士,雙梁鞋商人,小褂子工人,紅眼老婆子,黑小娘⋯⋯世界整個地陳列在我的眼前。可見穿的並不只我一人。然而,為什麼沒有一個脫下綿袍來贖夾衣的人呢?可見我還是最窮的,這些同我並排站着的窮人們,都比我富足,他們都在驕傲着我,我從他們骨都的嘴裏,好像聽見都在向我譏笑:你這惟一的真的窮小子! 別一方面,站在櫃臺裏的機器,真的驕傲的人們,臉上飄動着死的微笑——我在被殺的用滾水澆着的豬臉上所見過的微笑——像沒事似的檢查着當票,搬運着算盤子兒⋯⋯咄! 你們偷活的鬼們! 只要站在櫃臺外面的人略微動一動指頭,你們便會被壓在算盤底下⋯⋯。我被夾在兩個婦女——一個老而醜的,一個少而醜的——的中間,伸起一隻手去拿着當票,等候着某一隻眼睛看見之後,從某一個嘴裏審定這上面寫的是什麼東西。一面我心裏盤算着,我如何脫掉了我的綿袍,只穿着一件小褂,同工人一樣⋯

(138)

…我從我站着的地方，向東面一字兒望去，我看這些不同的頭，當他們看見我那種奇異的狀態時，會現出什麼動作。自然，我是應該被他們輕視，正如他們應該被沒有到過當舖裏的人們輕視……。他們沒有一個人來招待我的，我便這樣站着嗎？我何如到某個闊人的門上站着候一點差使好呢？走他媽的！我不……

時間是這樣的快，一刹那之後，我便又在這裏，被經濟制度追赶得走投無路的我，一刹那之後，又在坐在柳樹底下沒事似的思索着哲學問題了。

人類其實也是如此而已。其餘的我都擺在一旁，先把我的朋友們揪了來開始我的審判：'你們爲什麼同我這樣窮的人做朋友呢？你們不是因爲我在窮以外還有些別的東西爲你們所需要的嗎？你們有的取了我的思想，有的取了我的友誼，有的取了我的愚蠢來站在我的頭上以表示你們的特殊，有的想把我當做一件機器來供你們使用……。但是窮呢？這是你們都不喜歡的，都不需要的，所以我雖然在你們多方面的掠奪中，我的窮還是整個的保存着，正如國粹還是給愛國的君子們保存着……'，'是的，是的。'我聽見一致的肯定。

唉！人類眞是無可救藥的了！他們一定要用許多

(139)

方法，以把他們跳脫得乾乾淨淨的，裝得冠冕堂皇的，以顯出他們對於某件好事如何無能為力，某件壞事如何不得已。假如他們把這些方法用在不得不做好事，竭力不做壞事上去，豈不是一些可愛的孩子了嗎？然而，他們不能，他們沒有這樣的傻！

當舖裏的伙計打得算盤當然好；但人誰又不會打算盤呢？三加二等於五，金錢加權力等於身分，感覺加表現等於藝術，藝術家加科學家加社會服務等於理想的人，這些不都是在一架算盤子上可以打出來的嗎？然而，可惜都太聰明了一點，一天價打算盤，却都打到永久的虛無中去了！

好幾天沒有看父親去了。我這幾天為什麼這樣忙，究竟做了些什麼事呢？魯迅先生的紙烟，玉帆的淺笑，小弟弟的厚嘴唇，高歌的來信，週刊，關羽與財神，……父親叫我暑假後做點事情養家，他病了半年多，不願意再混事了。我如何能夠不聽從呢？我從前反對的是有錢而專制的父親，現在幫助的是有病而不能負責的父親。他問我投稿能夠維持生活嗎？我說，能夠的。但是，如何能夠呢？一個月賺下六七元錢，北京的房飯沒有這樣的便宜，我的肚子也沒有這樣小，編輯先生一翻臉，我便要站在懸崖上了，況且

(140)

我總是這樣傎！但是父親爲什麼不說，家裏可以維持下去，叫我安心做文章呢？不然，爲什麼不說，我的生活一定難於維持，給我幾元錢用呢？連自己的綿袍還脫不掉，而能夠賺錢去養家嗎？那幾年，他如多給我些錢，我現在又何至如是之狼狽？看來，苦的還是我自己！我爲什麼應該這樣呢？

'你好，因爲你誠實。'我向着走到我身旁的一條狗說。的確，我有些愛起他來了。

我爲什麼這樣無聊呢？一件綿袍罷了，何必也要引到永久的問題上去？我始終喜歡思索永久的問題，朋友的一句假話，無關係的人的偶然的一次微笑，乃至一剎那的寂寞，都常引我到虛無裏去。這是很危險的！

戰呵！人生本來是一片戰場。但是，敵人在那裏呢？

吃人是好的。然而我決不喜歡喫蒙古人，他們的味道太不好了。聞見都要作嘔。這些時公寓的飯大有蒙古人的風味，也許蒙古人已經被我吃過了嗎？風味，肉，心露，究竟有什麼不一樣呢？我不喜歡吃中國人，他們的心比蒙古人的味道更壞！法國女子的味道，不妨假定是好喫的，然而我如何能夠到了法國？

譯書？好書他們不看，壞書我又不譯。中國人的口味
真是特別，退一千步說，我何不幸而為中國人呢？

我實在覺得是這樣：中國亡了，於人類的歷史上
又有什麼損失呢？而有人偏於要愛國，且因愛國而被
人罵為賣國，我不懂這個道理！

他媽的！……

什　麼？

好像碰在我的頭上似的，隔壁的牀忽然嘣地動
了一下。已經是三點鐘了，總該有些事情發現——那
怕是極無聊的事情。我連忙收住我的放心，等候着某
種希望的實現。嗑！這是咳嗽的聲音，我無須證明，便
知道這是從那個女子的喉嚨裏所發出的。這聲音，好
像有種特別的意義，幾乎是預示着什麼的一種音樂，
我從這聲音中想像着牠所從出的柔膩的樂器，於是
一個顏色很白，質料很細，結構很不適當，不能說醜
又不能說美的臉立刻浮現在糢糊的黑影裏。我沒想
到我應該撫摩牠呢，或者打牠一個巴掌呢，或者不關
心地只是注視着牠呢——這些都是沒有必要的。但
我却覺着有一種波紋般的碎細的歡喜偷偷鑽進我的
莊嚴的心，像要撒一些毒草的種子在內，或者……另

外的什麼東西，從迷惘中把我拖了回來，我想，你應該再動一下了，便這樣地像一隻死狗睡了去嗎?嘴唇碰在一塊了嗎，相隔至多也不過是幾寸距離的兩副嘴唇?你的手，也不妨說是上帝把那種惟一的使命付給了的你的手，你可以用以放在別一個腑脯上，你可以從這胸脯慢慢地——記着，你要慢慢地:這是你們所以異於別的帶有野性的東西的美點一溜到胖的肚皮上，你再從這裏慢慢地溜了下去，這樣便做成功了。這是一件十分自然，十分容易的勾當……

幾乎聽不見的呼吸，從沒有一點隙縫的牆壁傳了過來，勻整的節奏，沒有從別一個臉上被折回的返響的痕跡，一個生命如何安然地仰天熱睡着，此外，便什麼都沒有了。

死的牀!牀上陳列着的兩隻狗的屍骸!

我想竭力搖動我的牀，把這搖動傳染到牆壁，傳染到那面的牀，傳染到牀上停着的屍骸。於是，其中的任何一具，或者兩具同時，像剛綏似的發出一聲或者兩聲，咳嗽。由這咳嗽便把某種死滅了的衝動喚了醒來，兩個肉體便沒頭沒腦地合抱起來，跳舞起來……

死滅了的便讓他死滅了去!橫豎生的還是生着，

未生的還在將生着，將跳躍着，將馳逐着……

於是，一具真的女屍便呈現在我的眼前。我用指頭點着她的額腦，額腦便忽然消滅了。我漸次往下點着，漸次消滅，直至最後的腳，我縮住我的指頭。我開始明白了：原來這只是一張空有形式的皮，至少也曾經過五千多年的腐爛了的。我防避着極細的呼吸的震動，保存着這雙惟一的遺剩的腳。

我檢查着這件文明的古蹟，我從這裏翻讀着歷史，我看見古代的英雄們，有名字的或沒有名字的，倏而在這上面跳了出來，倏而又消滅了去，當他們每一剎那的幻現時，還都是做出驕傲的模樣，我起先也在失笑着，但是，突然的一個冷不防的噴嚏，從我無法合攏來的張開的嘴裏，耗子似的竄進了鼻孔，略不停留地響了出來。於是，一切便都沒有了，我只懊惱地捏住了我的指頭。

愚的指頭！愚的噴嚏！……我是在做夢嗎？

隔壁的細弱的呼吸又響了起來。立刻，從呼吸而變成呵欠，地上的腳踏，門的開合，一個學生便從樓梯上走了下去。隨卽跑了回來，推了一下門。'誰？'屋裏的女性的聲音的問得到回答之後，於是，屋的牆上便又添了一個人影，就是這樣幾乎沒有聲音地隨卽

（144）

又停在牀上，從兩個屍骸中傳出照舊的呼吸，及偶然的牀的搖動。

死滅了的讓他死滅去好了！但是生的呢？……

幔子下的人們

這是一間舊式的學校的寢室。炕的後面放着一架長的書案，一邊就勢架在窗臺上，一邊用一條小板凳支着，直頂至炕沿上。書案上界線分明地陳列着三堆書籍，下面，在每兩道交界的中間，各放有一捲很小的鋪蓋捲。我一個人枕着中間的鋪蓋捲躺着。其餘的兩個同學不知道那裏去了。外面風括得很大。三面開了縫子的幔子，被風吸着嗚嗚地直吼，俄而提了上去，俄而又吊了下來。我在很多的經驗之後毫不驚異地躺着，看着窗上糊着的變了黃黑色的紙上好像潑過水似的很顯明地留下的幾個黃中帶紅的圈子。我沒有注意我當時在想着什麼，或者什麼也沒有想。

籬子忽然響了一聲。正像被風吹了起來又放了下去似的。我無意之間，把注射着窗上的紙圈的眼睛移到門子那面。我立地迷惘了，我所看見的是什麼呵？

進來的是一個年紀約二十三四歲的女子，穿着

(145)

一件藍布衫子，很髒，一看便知道是多時沒有洗的一件被汗汁養熟了的。黃色的臉皮，筋肉稀疏地貼在幾乎要闖出來的骨架上，但從這皮膚的紋縷的內部，好像還保存的那種全盤消逝了的美的影子。一雙特別安置着的要跳下來的眼珠，色彩已經黯澹了，呈露在銀光閃爍地含着淚水的兩個眼瞼當中。眼睛周圍，套着兩個黑的圈子。所有這些，都一刹那間映在我的驚奇的眼光中。

我像被一種有力的東西支配着似的，突然張開了嘴，我被這種不是我自己的聲音的驚喊嚇住了。我不知道我是什麼時候坐起來的，她是什麼時候枕着我的胳膝伏在我的面前的，我所聽見的，只是一個失掉了一切的人的絕望的哭聲。我的胳膝上，覺得濕漉漉地被冰一般冷的水澆浸着，連我的全身都顫動了。

正是我早已知道的，這是我所時常去聽她的戲的一個女戲子。當她唱‘祭塔’的時候，我覺得我在看見一朵被風吹下水裏的白蓮花。唱‘彩樓配’的時候，我看見一顆珍珠掉在井裏去了。唱‘武家坡’的時候，我看見一隻被狼追着而終於沒有跑脫的小羊。我曾經過有二年多天氣，如何節省下買書的，喝酒的錢去聽她的戲，抱着愉快的苦惱走到戲臺下，揣着苦惱的

(146)

愉快從戲臺下走回來。我時常推測她過去的歷史，給她計畫着將來的幸福。我用了十倍於國家大事的注意搜尋着看報紙上關於她的偶然的記載，我曾受過許多人的嘲笑，而置若罔聞。這正是她，所不同的，則我並沒有認識了她，而現在卻成了久已熟識的了。

'你怎麼了！'我問。

她沒有說話。

我知道了，這一定又是她的父親同她搗亂了，那個從前被革掉過的老同知！那是一個再愛錢不過的老頭子！

'你到底怎麼了？'我二次問。

'還是我母親害了我！' 她忍住淚說了這一句話，便又像河上又下來了一股新水似的越發哭得利害了。

但這一哭不要緊，全盤的事實卻立刻變換了。我又恍惚間覺着這在我面前哭着的並不是一個戲子，卻是一個姑娘，正是在這座城的東關裏營業的。我們不知道什麼時候認識的，我也不知道我如何會到了那種地方，卻只覺着立刻便想起了那個紫棠色的肉胖臉，放在一個很粗笨，雄壯的身體上的。從那顆臉的下部時常嚷出的在質料數量上都聽得十分厭煩了

(147)

的狗叫，立刻又在我的耳邊響了起來，我覺着像喫了什麼臭東西在嘴裏似的要嘔吐了。

'哦，你原來明白了，害你的便是你自己的母親！但是，還有那些人們，那些常到你那裏的人們呢?' 我不知道我當時是從什麼情調，是用什麼聲音說話的了。

'我都知道了。但是，那些人們，還是從我母親背後跑出來的。況且，也早已就討厭了他們！' 她忍耐着說。

'算了吧，明白了就一切都好說！ 你現在想着怎樣呢?' 我問。

'我有什麼法子呢?我母親沒有我便活不下去！' 她用沒有法子的聲調回答。

'那麼，你呢?你能夠活得下去嗎?'我問，悲苦的情緒中幾乎有冷酷的分子加入了。

'我應該怎樣呢? 我死了也就沒有什麼了!'她絕望地回答。

'那麼、你母親活得下去嗎?'我逼緊着問。

'我——應該怎樣呢?——'她忽地又繼續着哭了起來。

'我——我應該怎樣呢?'我也自己問着我，惟

（148）

的囘答，便是單純的哭聲變爲複雜的哭聲了。

風兒猛地吼了一聲，幔子嘩嗒嗒地像帶着極大的重量似的被風吸了上去，像張開了一隻無底的嘴，把我們一倂吞了進去似的，隨卽又帶着同樣的重量，吊了下來；幾乎不能翻身似的壓在我們的頭上。

'我——我應該怎樣呢？'不知道來自什麼地方的聲音又響了起來，但這已經不像是人的聲音了。

一個心的解剖

他接到從一個朋友寄來的一封信。在那信上，他看見個熱狂的，純潔的心。這是他的理想的青年中的一個，如他所說，不只有可以把一切壞的都毀滅了的那種蠻勇，而且還有一種可以把一切好的都建築起來的同情。他覺得他的心裏好像添進了一些什麼東西似的，他自己不知這是種什麼的東西；但他能夠覺到這東西是可愛的，正如一種尋找了好多時候而忽然得到了的東西的可愛，或者在某個過去忽然遺失了而又無意之間遇見了的東西的可愛。這東西好像在告訴他，他用了全個生命以趨赴之的，決不是一條渺茫的路；決不是將要把那種在衆人中可以做出幾種較爲醒目的事情所用的力量，徒然地擲在一個

（149）

一無所有的空谷裏去。他覺得自己的力量立刻增加了許多，世界並不是整個地同他對立着，而是對立着兩個世界，在這忽然出現的另一個世界裏，住着很多純潔的，勇猛的，美麗的，亮達的，有兒童的天真而又有老人的經驗的青年，他自己便也住在這般世界裏。他從這個世界上去望那個他已經看厭煩了，而想一拳擊碎了的世界，包圍在自己的衝突和外來的進攻中；立刻便像破落戶的房屋似的，牆壁，瓦片，柱木，裏邊陳列着的幾架廚櫃，桌椅，一堆兒全盤地都倒在地下。沒有聽見一點生人的哭聲。從他自己的世界裏邊，從幾個幾乎要流下淚來的慘淡的心裏，立刻便迸出一陣意外的歡笑，不知道那兩隻是長在那個人的臂上的一些手的聚攏中，立刻便響出一陣雜亂而又和諧的擊拍。他覺得他自己突然變成一個從前所認為絕對不能有的勇士，只有詩的想像上為理智所管轄不到的境地纔能夠存在的，這勇士的拳頭正如那一聲可以打碎了全世界的。他便看了看自己的拳頭，便看見這拳頭底下他那天在一個朋友的院子裏上樹所擦傷的幾處的傷痕，他露出了一種譏笑的，悲憫的神情，就像他在看見一個身體軟弱的，打起架來只配給人摔筋斗的別人一樣；又像他的過去，已經同這些

(150)

傷痕一齊都死滅了似的，牠們再不能夠來污辱這個新生的勇士了。於是，勇士的眼睛便又移到玻璃窗外被風掀簸的樹上，他看見那些樹枝，粗的和細的，都帶着牠們的葉子，沒命地互相衝撞着，不知道方向地四下裏顛倒着；他又看着那風，那只會依傍一些樹木及這一類的東西發出幾聲空的叫號之外空虛無物的自欺欺人者，便連一間只等候着輕輕的一拍便要倒下去的破碎的房屋都不能夠吹倒的。便在這所有一切之中，突然出現另一個勇士，他覺着這正是他自己，因為他正感到了這需要，在左右披靡的如入無人之境的天空中，東馳西逐地飛舞着。一種具有一切力量的歡喜，更徐徐地鑽進了他的心裏，蔓延開來，直到佔據了他的靈魂。

但是這種沒入的疲倦還沒有明白顯露之前，他覺得還有一種模糊的不適意的感覺在佔據着他。這種感覺時常在忽隱忽現地存在他的心裏，鬼似的時常在看不見的地方藏躲着，以備伺隙而把他的有刺的錐貫在他的胸口的正中。他早巳知道有這麼一種東西，但他並不把牠放在心上，他覺得自己總還有一種可以憑恃的力量，不至於便那麼容易地給牠侵襲了去。至多，牠也只能夠被自己的躁進所恐弄而常自

(151)

以為有隙可乘的時候，由牠的錐忽進忽却的可笑的
旅轉傳過一些冷的陰風罷了。這風，雖然有時候也竟
使他毛骨悚然，然而，至多，也不過止於如此罷了。但
是，百次中的一次，他竟也出乎意外地覺到了他自己
好像有一模糊的終於要失敗的徵候。因為他覺得，東
西並不只是在他的後面，便連他的希望，他的同情，
他的寬容，便連他自己在渺茫中所走的路上，都很真
切地看見有黑影子在搖幌着了。這時，他便感到了一
種被包圍的憤怒和恐怖，及對於全人類的運命的幾
乎無可救藥的悲哀。這時，他便竭力鼓起自己的勇
氣。他也不管是真是假，竭力自己認他是一個可以戰
敗一切的英雄，或者，至少，也有力量同一切在那拳
對拳脚對脚的你死我活中爭那最後的一次或然的勝
利。只不過是一些拿着毛錐，連冒險的勇氣都沒有，
而必須看見有隙可乘的時候纔敢於進攻的一些怯懦
的敵人罷了！他這樣想着的時候，便像看見一羣一個
人手裏拿着一把木刀手舞足蹈的頑皮的孩子，他竭
力做出一種對於這種只不過是玩一玩的不好看的把
戲所自然付之的不需要的譏笑，但是這種譏笑中，却
常雜有淚光的閃爍，好像在沈默地宣告他心中所忍
受的痛苦及那種他自己所決不願意承認的終於要失

（152）

敗的徵候。

這種感覺，當他最初歡喜的那一刹那間，便同時進佔了他的心，這他自己知道。只是，他起先並沒有閒情去理會牠 牠便只得俯首帖耳地藏在那裏，暗地裏抓搔着的被幽囚在裏邊的地宮的牆壁。他便感到了一種深刻而又隱微的痛，但這種表面是新來而其實是舊有的痛，他一時決不便注意到牠。當他在空中看見那飛突的勇士的時候，他也知道在那所蔑視的樹和風中，也有鬼的毛錐在飛動着，也不妨說那樹和風的飛動便是那毛錐的的飛動，而他所蔑視的，也正是他所時常在蔑視的東西。這時，歡喜都跑掉了，或者說都藏躲了，他於是又把另一個藏躲的東西提了起來，叫牠面對着他。他檢查這種感覺的來源，這種陰風的來源，他知道這是從間接而又間接，經過了無數間接而飛來了的。他立刻便又毛骨悚然起來；這東西終有一種不可侮的力量，牠雖然沒有戰士那樣强健，却有偵探那樣機靈。牠可以飛來飛去的，她可以過經許多地方飛過而又使那些地方都沒有發見牠的飛過，牠可以使那厭惡牠的心給這做了介紹而自己不知道介紹的是什麼，或者竟不知道曾經介紹過什麼。而這東西，突然便飛來了，這他一見便能夠認識

(153)

了的，他知道牠是從什麼地方來的，他幾乎還能夠一一說出牠來時所經過一切地方。他看見牆角，屋頂，書籍，衣服，好像同時都被同樣的風吹動着。他的胸口好像是很隱微的痛了起來，好像有一種鐵的接觸，並沒有中了要害，却只是像蜻蜓點水似的一滑便掠了過去。一種幻覺幾乎像是捉住了他，勇士已經無蹤無影的，只有一個死掉的老鼠躺在地下，他竟要把自己收縮到一個相當的體積而鑽進那可厭的畜生的裏邊似的。何處便來了一個極猛烈的震動，他便趕忙跳在這個震動上面，竭力收囘自己的力量，隨便一撒手便打碎了那個他剛綫所看見，好像便由他自己造作出來特爲磨練他自己的勇氣似的，如此便可以說是本不存在的幻像，憤怒，悲哀，歡喜，沈痛，譏笑，無聊，許多不同的東西，便都夾七夾八地一堆兒滾進了他的心裏，他好像都不把這些東西放在眼裏似的，他的箭一般的眼光，像無孔不入似的，透過了玻璃窗，而投射到遼遠的空間。

三 段 故 事

頭

來的大概是一個人，只是頭太長，身體太短，人

（154）

是不應該這樣的。這使我討厭。

走近了，頭越長了起來，長到失了頭的形式，像杵立在臼上。

'你是什麼東西?'我向着杵問，我太恭維牠了。

'我是 ——'杵回答，以下的聲音，我沒有能夠聽出。但我已意想到，牠是在說牠是人，我討厭我的意想。

'我是什麼東西，我是杵嗎?'我反問着自己，我失笑了。

'頭是不應該這樣的，假如你是 ——'我對杵說，像要以人的資格給牠一個辨證。

杵不動，顯然是不以我的話為然。

'你是杵。'我公然揭破牠了，實在牠使我討厭。

'頭嗎?這裏有拳頭!'我的拳頭發脾氣了。這是牠的習慣，牠動的時候向來是要先發脾氣的。

我仍然看不見杵動，我並且也看不見杵了。只剩一個臼在着。

'越變越不成樣子，狗!'狗嗎? 狗是有頭的，我太恭維牠了。

頭大抵是可以割掉的，然絕不能割掉之後，頭的下面會成為一個可以容納一個頭的空隙而像臼形。

我立刻決定，牠大概是缺兩個頭。這個奇怪的人!

(155)

怒的眼睛

空中掛着一隻眼睛,像太陽一般發光,儆視着地球。

地球亂轉,在光的燃燒中,迷失了自己應走的方面。

而光越焚烈,而地球越昏迷。

有革命家宣言曰:'我將摘彼怒球,移植地上也!'

於是而一切咸得其所。

歷史放開他的傲慢的有經驗的喉嚨。叫道:'這是謊話!'

他沒有覺察,自然在背後正笑他孩子氣呢。

寂寞

數人來來去去:沒有聲息。

路中淤泥歎道:'彼足未深陷,而吾已淚嘶嘶而心戚戚矣!'

電杆子聽了,笑道:'我則不然。任彼自來自去,我立其旁而觀之,無所喜亦無所憂也。'

摩托卡吹了幾聲哨子,好像在說:'吾將載彼等而去,然乘我者誰耶?'

(156)

談話終了，暴雨又至，路中遂無行人，淤泥已失
其所在，惟電杆子巍然存焉。

磨托車乎？彼其亦足僵而喉啞矣！

〈157〉

（158）

天 上 人 間

天下雨了,我想寫一點日記。什麼緣故?說不出。反正想做什麼時,便胡做牠去,此外一切都不必理會。

我想,這雨可以下到明天,下到後天……有什麼用處?說不出。

我想起一個頭來了,讓我叫他做最好的頭吧!但這也無關重要。頭們太多了,而且會變化。在公園裏,他們排列成棋子;照相上,他們又建造了臺階。那些對我現出笑容來的,我把他們嵌在叫做朋友者的頭上。但大多數頭,都是沒有這種機能的,所以碰見我時,常是板着面孔。

這太可怕,我覺着像有洪水要來的時候了,波濤裏翻滾着許多的瓜,從前那樣君子地陳列在田地裏

(159)

的。洪水來時，世界要變成最好的世界，洪水去時，一切便又回復了原狀，也好像多此一舉。可惜只是下雨，像小姐似的嗖嗖咸咸地，討厭！

我想造一座墳墓，那裏除空氣之外什麼都沒有，我在墓上題字道：當我活着時，我住在這裏。其實，我現在所居住的也就活像墳墓了，只不過多幾顆頭，然一切之中，頭最討厭，我夢魘。

窗外可以望到的，一切都不動，只有雨點滴着，滴着，這太無聊！天呵，換一副面孔給我瞧瞧，不要裝腔做勢地！

他們都在那裏擺起架子來了，太可笑。只是屍首纔擺架子，因爲他此外一無所能。他們學得眞像，聰明的先生們呵！

當我提起先生這兩個字時，我覺着我在罵人，也許我太下流，不明白先生的尊貴處。我如見了什麼人，而直呼他的名字，我便失敬了。在我和他們中間，有一堵牆立着，這是誰建築起來的？

我想起Y的話來了，這眞是一個要好的朋友，我立刻想看見他。他說，他看見人的時候，常想拿一根棒子在他的頭上敲幾下，看牠裏邊裝着的究竟是什

(160)

麼東西。我不知道這個理想,他已實行過沒有,但實行也必定要失敗的。他現在大抵是躺着,抽着煙,憤怒燃燒着他,眼光射在不可知的處所,…… 他也許會死在自己的火裏。

一切都是同樣的單調,這能夠叫他做世界嗎?

有人在那裏興高采烈的演說,我只看見他的唾沫在飛濺,但沒有聽見他的聲音。有唾沫的,總算是英雄,不是嗎?

我覺着我需要着一些東西,我說不出這東西是什麼,但我知道,我沒有牠便活不下去。生活總是活下去纔好,無論採用了何種方式,這大概不會是荒謬。我應該向何處找尋我所需要的呢,當一切都變成了可厭惡的時候?況且這厭惡,是從他們那裏施放出來的,否則,我倒樂於遷就點他們。

我對於一切事情,都想做去,然而我懶得做去。這是死滅的第二期。到不想時,一切便完結了。這可知道,我所缺乏的東西如何要緊。我看見一架機器,不動了,只有骨骼在着。這機器便是我自己。

殺一個把人,也許略微有一點趣。但打針的效用

(161)

是有限的，一會兒過去，疲倦便更加强烈。况且，我看着他們痛苦地活着，於我或比較順意，我何苦做那種無聊的慈善事業去？殺第二個人，也許不容易辦到，世界太不合適我了。

我有時也想什麼也不做，但喫也不嗎？社會建築在我的舌頭上，我無法脫離。囘頭時，我便又連殺人都覺得無趣了。

如有什麼來時，我也是有手的，牠藏之已久了。但這近於幻想。

呼，呼，呼，……有聲音從我的喉嚨底叫出，我如何能夠管轄住他們？管轄是最大的罪惡，一切支派都由此出，我以爲。

暴風雨來吧！
啜啜戚戚……

有人爲了防禦而同他們爭鬥，他們便羣起而攻之，叫他做暴徒。他們以爲，別人是應該鎮靜地躺着，讓他們一口一口地喫盡，纔是正理，被喫的人太不馴服，世界便不安了。他們有權利可以裁判他去。

他們不願走，你便不應該走，否則，你便是不懷

(162)

好意,有心叫他們丟臉。

你無論見了什麼人,應該裝出是像不及他而又佩服他的樣子,這樣你便特別地好玩,你有被人看得起的價值。

世法上只有包孕句,沒有平列句,但你要自居是包孕句中的小句。

你不要以為第一次見他,至少也如路人,在他的眼裏,你已站了譬敵的地位,無論你平日心裏對於他怎樣地好。

人們都在四處設着網羅,想把別人抓了進去,被豢養或被烹食。

戰嗎? 降嗎? 觸在那面也是死。戰的人多了,或者——?

我洩漏祕密,應該被雷擊死。天呵,請帮助他們!

暴風雨來吧!

啜啜戚戚⋯⋯

(164)

黑 的 條 紋

一

我隨手展開一本書。白紙上畫着些黑的條紋，像死掉的蒼蠅的腳，並不美麗。我隨手合住了牠。

牆上的伏爾斯頓克拉夫特眼睛睇視着我。我知道歷史的祕義了。蘇菲亞，她的化身，手裏拿着一本書。便是我剛纔合住了的，只是上面有美麗的字。

黑的雲簇擁着黑的天空，像要從窗中闖入。我不去看牠。剎時，我也許會變成一座小山，雲和天空都變成雲，我和雲——雲……牠立刻又掉回頭去，我看見牠頸子直挺，說牠怒了。牠要用雷來驚嚇我。我是不怕雷的！

公園裏的那顆頭，也進來了，責問我昨天何以不

(165)

把壺子給牠擲去。相離不過背靠背，而竟交臂失之，可惜！朋友，恕我一次，我們還會遇見的！

　　蚊子叫着：嗡，嗡，嗡。還有，蚊子叫着：嗡，嗡，嗡。還有——

　　當夏天來的時候，雲密佈着，雨流涕，七色交織的彩弓懸在天空，沒有箭的響聲，一切都被射死了。弓掉在海底，太陽從海上上升。現在正是夏天。夜了，我昏在醉中。地在我牀下熟睡着，發出濕的鼾聲，聲振天空，雨流涕。

　　有老人投海而死。被救，然已死了。我伏在屍上慟哭，這是我殺了的，我跑着，後面有足音響着，我找見我的惡罪，然我的手已洗淨。

　　那裏立着新塚，母親暈倒在旁，血已流乾。我從遠處望見，遍身震戰，如領神的羊。我從夢中驚醒，哭着新塚裏埋着的母親。淚滴塚上，生爲毒草，放着淤紅的小花。

　　來了一個少婦，向我哀求，哀聲響遍天地，如下霖雨十日。我握住她的手，冰結手中。我心的冰化而爲水，滴在她的手中，被她飲盡，她獰笑向我。我心已空，倒在地上。腳踏下獰聞語聲：奴隸！一刹那間，如億萬年，我復生時，又聞啼聲；像有鳥立樹枝上，我跼

(166)

蹋四顧。

鐘聲響了，一切都成過去。**心如白紙**，如剛纔所合住了的，只更無黑的條紋。

把我的影子，投入鏡中，我將辭鏡遠行。

沙漠中有人——其名便叫做沙漠，因生沙漠中**故**——向我招手，我也報他以招手。他向我來，我向他去。

大河橫在我們中間。怒濤狂吼，像軍樂從敵軍密集部隊中奔騰而至。我一躍飛入浪中，沈而復升，變作一座橋懸在河的兩岸。我渡我自己過去。

皓月今天不上來了，雲已佈滿了天空。我面對着**黑的夜**，摸索着我自己。

我沈沈入夢。在夢中我展開書卷，畫上美麗的黑**的條紋**。

二

狂風從西方吹起，一切聲音都被淹沒了的狂風，**且叫且行**。那時我已死了，我的屍首埋在海底，然我**的死骨猶作乾笑**，笑聲觸着海面，碧波從海面漩起。

雲在山頭望見，按捺不住，飛上天空。太陽立刻**閉了眼睛**，休息在沈默裏，納悶在下面的擾亂裏，白

(167)

蟲的夜於是降臨。空氣現灰鼠色,示非完全的夜。

碧波矗立如山,聳起海上,扶搖而上,直達雲端。而雲越豐厚,幻化出五光十色。而波作雷鳴,與狂風相應和,而狂風挾着無比的力佔領了一切。

如是者數十年。

夢醒時,我看見我獨立在街頭,睜着空幻的眼懸望着無人。我把我擲在街的當中,靜候着有物從上面踏過。而聲都寂然,乃至並無聲的影。我便這樣地隱伏在街中,靜候着焦躁從上面躁過。

一切都倒立在我的眼中,倒了。我凝視着自己的眼睛。

如是者數十年。

朋友!你的手上有血跡了,讓我接吻吧!

如是者——

三

她立在我的面前,當我看她時她時常在立着。一切美觸着她都變成了醜。她如唱歌時,那會成了如何神祕的音樂呵!然她始終沈默着,像一切都重壓在她的幻夢上。

我常看着她,我想像什麼時候她會突然坐在我

身旁，像一顆星從天的洩露處給我投下。然雕像始終
立在她的座上，永遠未嘗轉動。

我閉了眼時，美的夢展開了，因為我知道有她在
我的以外。

她的眼睛向着我而看着我的時候，一切都為我
所佔有了。她的眼睛向着我而不看着我的時候，我懷
疑，懷疑一切。

我常想學繪畫，為的是畫她的像。然我又不敢相
信，繪畫對於她會有那麼大的力量。

我像鏡子似的映出她的影子，我像鏡子似的自
負她是在我的裏邊。然自負的決不止我，我也許正是
其中的一面最惡劣的鏡子，但這我不必管牠，牠要撒
沙在我的鏡上。

我默想時，鏡和影都像沒有了。我是一片沙漠，
立在我面前的也是一片沙漠。沙漠和沙漠，她和她，
我和我……誰能夠撒沙在沙上呢？

我願她憤怒，對着世界，我願她笑，對着我。也許
她已經這樣做過了。但我沒有真確地覺到。

的確，她是那樣地難於真確地覺到的，我所把攫
住的只是一個影子。路旁的石子向着地球發呆，如她
只是一粒石子時，石子便是我的地球。

（109）

我的地球，我的地球！我叫着，她同我叫着。我是懸在空中嗎？

我默想着。她的臉變成了天空，沈默地立在我面前的也是天空，天空，天空，懸在空中，我笑了。

讓她們懸着，讓我們懸着……

留贈讀者

不認識的朋友們呵！

我已經知道你們的名字了。

"什麼是我們的名字呢?"

星，星，星……

——閃光。

(171)

延安集

長虹 著

和平野營一九四六年九月出版。原書三十二開。

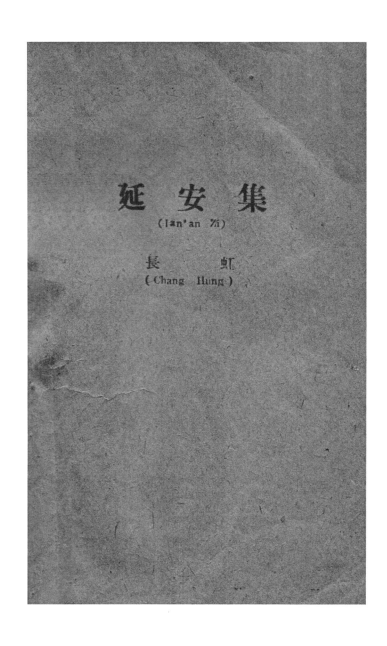

延 安 集
(Ian'an Zi)

長 虹
(Chang Hung)

目　　錄

地 的 呼 籲

人穿棉，
水穿冰，
地穿寒衣；
可是地，直到現在，
牠還是赤身露體。

沒有茶，
沒有咖啡。
人喝白開水；
天不落雪花，
土壤喝什麼？

又受飢渴，
又受寒冷，
土地不做聲；
可是人提心吊膽：
土地過不到好冬天
明年怎麼辦？

鐵會炸裂，
牛會吼，
土地也有不能忍耐的時候；
嗚嗚的風刮起來了，

1

沙從西北吹來，
土地寄託着牠的悲哀。

延河被吵醒，
先睜開一半眼睛；
牠想換掉冰衣，
冰剝落着，
像是蛇的皮。

就說延河裡的水
是土地媽媽的眼淚，
牠現在正痴想着：
不該叫牠流出來，
該把牠嚥回肚裡。

四二，一，三〇。

2

這樣唱，這樣做

山連地，
地連山，
谷子種在山頂尖。
去年開荒開得少；
今年多開荒，
小米吃不了。

延河漲，
泛兩岸；
兩岸修得高，
岸上搭石橋：
人馬橋上走，
河水橋下流。
岸傍多築蓄水池，
引出水來種稻子。

不要把人力浪費，
不要把時間浪費；
把空閒的時間
拿來用在工廠裏。
多學一些科學，
少說一些空話：
勞動技術化，

3

經濟工業化；
大姐也是組織家，
小鬼也是專門家。

四二，三，二二。

4

邊區是我們的家鄉

邊區是我們的家鄉，
住在邊區的同胞們，
也都是我們的老鄉。
我們要把身體緊靠着身體，
就像是綿羊們遇見了豺狼。
我們要像五個指頭，
結成一個比鐵還結實的拳頭，
戰鬥是為了團結，
團結是為了戰鬥。

西北風是我們趕不走的客人，
她給我們帶來黃的沙，
和刻骨的寒冷。
太陽給我們送來溫暖，
牠跑來把牠冲散；
我們的雲散成霧，
我們的霧散成煙。
我們冬天呼吸不夠雪花，
夏天也常常苦旱。

我們的土地瘦，
我們多把肥料喂；
我們的人口稀，

5

我們一個人出十個人的力氣。
我們一百個人裡邊
有九十五個生來是貧窮的，
為的來創造新天地。
我們是從苦難裡訓練出來的軍隊。
在抗日戰線上，
我們是前衛。
我們先準備好總反攻，
我們先勝利。

6

紅色十月

紅色十月是狂飈：
封建的山被牠吹翻，
資本的海被牠掀倒。

紅色十月是太陽：
牠把白雪也照得發光，
牠把黑土也照得發亮。

紅色十月是一個娃娃：
他一年過一次生日，
一年比一年長大。

紅色十月是一個世界：
牠用六分之一的地球，
統治六分之五的人類。

紀念紅色十月！
保衞斯大林格勒！

男人學習斯大林格勒的工人：
不做工的時候便打戰，
不打戰的時候便做工。

女人學習斯大林格勒的婦女：

7

戰爭是她們的生活，
生活引她們到勝利。

同志！請你這裡看：
不是納粹進攻紅色十月，
是紅色十月進攻納粹。

四三，一一，×。
紅色十月是斯大林格勒的一個工廠的名字。

8

希特勒逃亡

一窩三狗出一獒，
一窩三狼出一豹，
三個法西斯妖怪裡，
希特勒德國最咭咭叫。

牠闖進社會主義的家鄉，
偷吃人類的理想，
把牠趕出去可不難，
不是三個月，是用了三年！

牠現在夾着尾巴跑，
掀起後抓子洒着尿；
牠只顧着跑路，
也忘了先在那裡嗅一嗅。

四四，九，二四。

9

法西斯罪犯們

我們不會把罪犯們冷淡，
我們已經預備好犒勞，
他們自己所犯的罪惡，
便是他們的香甜的吃拷；
不必再多放一杓子鹽巴，
不必再添上一格緻辣椒，
一定會合適他們的味口，
這是由他們親手烹調。

除非是鑽進地縫子底下，
或是溜出到大遊子外面，
沒有空間把他們庇護，
沒有窩窿供他們躱藏，
就像死了的不能夠復活，
就像殘廢的不能夠全還，
就像戰爭不能再來到，
就像和平不能再損傷。

那裏有人民他們被捕獲，
那裏有法律他們被問罪，
螞蟻下蛋在他們的血管，
蒼蠅下蚖在他們的腦髓：
我們用滾水把土地洗淨，

10

看那裡接觸過罪惡的身體，
叫清白的心裡不再有恐怖，
叫孩子們不再夢見魔鬼。

　　　　　　四四，一〇，一三。

11

爲自由而鬥爭

已經打了七年的戰爭，
現在照樣還失地棄城；
我們的國土不是沒邊疆，
退却可以到邊疆的外面。

漢奸出賣了我們的城池，
城池外樹立起戰鬥的旗幟；
我們還是有四萬萬人民，
是侵略者防備不住的敵人。

我們早已經把握着勝利，
走狗咬住我們前進的腿；
我們的時間因此被拖延，
也因此集合起更多的力量。

我們要把敵寇驅趕到天邊，
並且要在消滅他們之前，
還得要先把飛快的刀尖，
刺穿漢奸走狗的胸膛。

我們並不是單獨鬥爭，
我們有反軸心的民族同盟；
全世界的人民爲我們後援，

12

在敵國的他們也息息相關。

我們把友邦運來的武器，
全數裝配給戰鬥的部隊；
我們把黃金換成軍用品，
一滴也不流進敵人的袖筒。

不自由的生存不如一塊破布，
牠比那破布多一些恥辱；
為自由死亡，為自由生存
所以先要有自由的靈魂。

女的是姐妹，男的是弟兄，
民族是我們生身的母親，
斬盡殺絕自由的害蟲，
叫勞動的人民都成了神聖。

四四，一一，二五。

13

解 放 歌

那裡有人民
那裡是我們的後方，
在那裡戰鬥
那裡就是前線。

前線和後方
全中國一條戰線，
後方結成鋼鐵圈，
前線結成鋼鐵鍊。

鐵路是敵人的肐膊和腿，
電線是敵人的耳朵和眼，
切斷交通線，
敵人不動彈。

一座城好比一座山，
把敵人圍困在山頂尖，
抖擻精神一齊上，
勝利就在手跟前。

為自由，和平作戰，
把戰爭連根拔斷，
日本的弟兄們放下你的鎗，

14

你們的官長是真正的罪犯．

四四，一二，四●

15

我們要的是這樣個社會

我們要的是這樣個社會：
凡是勞動的都享有政權，
就連那些個家庭的奴隸，
整天家做了工還倒貼工錢。

我們要的是這樣個社會：
軍人們就像班門神一樣，
他們的臉面永遠是向外，
不打內戰也不扣軍糧。

四五，六，六。

16

渡　荒　年

好勞動打井渡荒年，
懶漢眼看着荒了田。

今年大旱水澆地，
明年天澇種菜園。

不是我們懶，
我們種的是山坡田。

要叫人人都過得去，
川田，山田要好分配。

四五，七，五·

17

本集所選詩十首，是在延安解放日報及一兩
次壁報上發表過的。
　　一九四六年九月十五日發行

實價每冊三百元
發行者　和平野營
　　（通訊處：張家口文協分會轉）